O MONSTRO SALVOU
E, POR MEDO, ELES O TRAÍRAM.
COMO SEMPRE FIZERAM.
COMO SEMPRE FARÃO.
ESTA É A HISTÓRIA DO CICATRIZ VERDE.
O OLHO DA FÚRIA.
O QUEBRA-MUNDOS.
HAARG, HOLKU.
HULK
E DE COMO ELE FINALMENTE FOI PARA CASA.

PLANETA HULK

UMA HISTÓRIA DO UNIVERSO MARVEL

GREG PAK

© 2018 MARVEL

NETALK

Planet Hulk

© 2018 MARVEL

Equipe Novo Século

EDITORIAL
Jacob Paes
João Paulo Putini
Nair Ferraz
Rebeca Lacerda
Renata de Mello do Vale
Vitor Donofrio

TRADUÇÃO
Caio Pereira
PREPARAÇÃO DE TEXTO
Gabriel Patez Silva
P. GRÁFICO, CAPA E DIAGRAMAÇÃO
Vitor Donofrio
REVISÃO
Equipe Novo Século

ILUSTRAÇÕES CAPA
Ladrönn
Carlo Pagulayan
Jeffrey Huet
Chris Sotomayor

Equipe Marvel Worldwide, Inc.

VP, PRODUÇÃO & PROJETOS ESPECIAIS
Jeff Youngquist
EDITORA-ASSISTENTE
Caitlin O'Connell
GERENTE, PUBLICAÇÕES LICENCIADAS
Jeff Reingold
SVP PRINT, VENDAS & MARKETING
David Gabriel
EDITOR-CHEFE
C.B. Cebulski
PRESIDENTE
Dan Buckley
DIRETOR DE ARTE
Joe Quesada
PRODUTOR EXECUTIVO
Alan Fine
EDITOR
Stuart Moore

Texto de acordo com as normas do Novo Acordo Ortográfico da Língua Portuguesa (1990), em vigor desde 1º de janeiro de 2009.

Dados Internacionais de Catalogação na Publicação (CIP)

Pak, Greg
  Planeta Hulk
  Greg Pak [tradução de Caio Pereira].
  Barueri, SP: Novo Século Editora, 2018.

  Título original: Planet Hulk

  1. Literatura norte-americana 2. Super-heróis – Ficção 3. Hulk (personagens fictícios) I. Título II. Pereira, Caio

  18-0682   CDD-813

Índice para catálogo sistemático:
  1. Literatura norte-americana   813

NOVO SÉCULO EDITORA LTDA.
Alameda Araguaia, 2190 – Bloco A – 11º andar – Conjunto 1111
CEP 06455-000 – Alphaville Industrial, Barueri – SP – Brasil
Tel.: (11) 3699-7107 | Fax: (11) 3699-7323
www.gruponovoseculo.com.br | atendimento@novoseculo.com.br

Dedicado a Bill Mantlo.

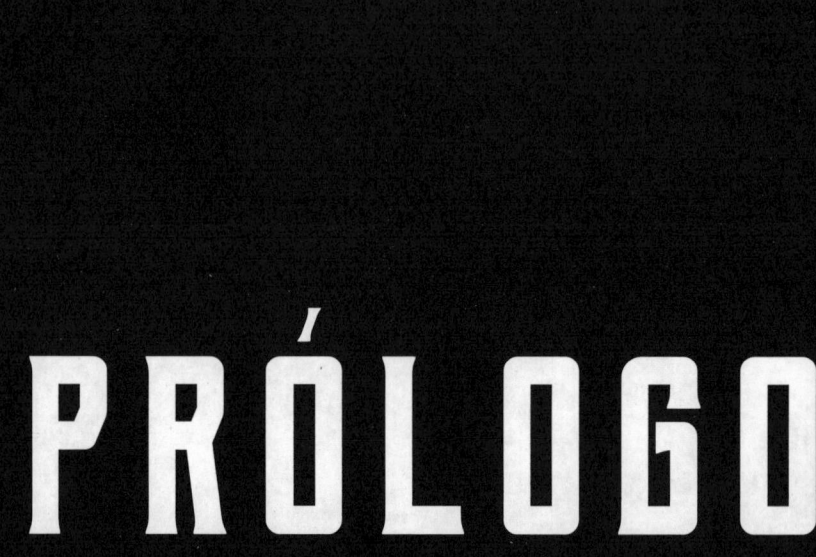

O HUMANO FRACOTE ABRIU OS OLHOS E TOSSIU.

Deitado numa cratera no meio do deserto, peito desnudo, calças rasgadas. Não se lembrava de coisa alguma. Mas seus músculos formigavam, avivados, em chamas.

Ele sabia o que tinha acontecido.

Tinha esmagado.

Ainda sentia o ardor nos nós dos dedos, o martelar pesado de alegria no peito. Fora tudo glorioso e violento e totalmente sem controle. Uma cena de estilhaçar de pedras e vidro passou por sua mente. Um baque trovejante e uma vertiginosa e empolgante desorientação quando os vinte andares de concreto e aço giraram, sacudiram e ruíram...

Sobressaltado, ele procurou respirar.

Pusera prédios a baixo. Arrasara um quarteirão. Talvez até uma *cidade inteira*...

Meu Deus.

Teria finalmente *matado* alguém?

Um silvo agudo preencheu o ar, e ele se virou, apoiado nos joelhos, pó e areia girando ao redor. Um raio afiado de luz do sol refletiu-se numa borda de titânio e fez arder seus olhos. E então o troço apareceu para ele com um baita rugido.

Uma nave desceu à sua frente, os motores a toda, transformando areia em vidro ao pousar. A escotilha abriu-se e uma figura alta e esguia tomou a forma de um punhado de luz, os braços impossivelmente esticados, gingando em torno do corpo.

Era a época dos heróis, quando humanos, mutantes e deuses caminhavam sobre a terra com poderes inacreditáveis. Fantásticos, espetaculares, fabulosos e estranhos, eles se uniram para salvar o mundo diversas vezes.

Uma projeção holográfica do Dr. Reed Richards – o homem mais inteligente do planeta, com a habilidade de esticar seu corpo em medidas impossíveis, para qualquer direção – olhou do alto para o humano fracote e abriu um sorriso gentil.

– Bruce, como você está?

Bruce Banner, de cenho muito franzido, olhou para seu velho amigo.

– Reed... o que aconteceu? O que foi... o que foi que eu fiz?

Reed respirou fundo, recompondo a expressão no rosto, e Bruce sentiu uma bola formar-se no estômago. Reed era brilhante. Contudo, jamais conseguia disfarçar algo em que estava pensando.

– Não foi culpa sua, Bruce.

– De que diabos você está falando? *O que aconteceu?*

– Um general dissidente tentou dar cabo de você. Acertou-o com uma MOAB de raios gama a pouco mais de um quilômetro de Las Vegas. Você ficou uma fera. Entrou com tudo na cidade, esmagou uns carros, destruiu umas ruas. Então, ele atirou de novo.

– Espera, como é que é?

– Ele bombardeou Las Vegas. Três prédios vieram a baixo. Trinta e sete mortos. E dois cachorros.

Bruce ficou calado, meio vacilante. Um vazio na cabeça, a pele muito fria. Um arrepio muito forte percorreu seu corpo todo. Estava entrando em choque, prestes a desmaiar... ou pior...

– Bruce. Preste atenção. – A voz de Reed ficou subitamente mais tensa. – Não é culpa sua. Não foi *você* quem derrubou aqueles prédios. Você não é nenhum assassino. Nunca foi e nunca será.

Bruce virou-se e viu o deserto. Trinta e sete pessoas. Imaginou os corpos. Imaginou os parentes no necrotério vindo identificá-los. O sofrimento no rosto, a dor terrível fluindo como o sangue de uma ferida aberta. E dois cachorros? Que raça de cachorro? Inconformado, Bruce fechou os olhos. Pergunta boba; que diferença fazia? Mesmo assim, imaginou um *corgi* e um vira-lata médio de pelos grisalhos e um sorrisão abobalhado, e lágrimas brotaram em seus olhos. E se no meio havia crianças? *Bebês?* Bruce abriu a boca, mas não conseguiu formular palavras. Não fazia diferença quem tinha apertado o gatilho, quem tinha disparado a bomba. Se ele não tivesse entrado na cidade, se não tivesse entrado no estado, se não *existisse*...

– Bruce...

A voz de Bruce pipocou pelo cenário – suave, porém insistente. Disse algo sobre a nave. E uma crise. Uma missão. Uma inteligência artificial que dominou um satélite, controlando dez mil mísseis nucleares...

— Nós *precisamos* de você, Bruce.

O holograma de Reed deu um passo para o lado e acenou para a entrada da nave.

— Você é o único com conhecimento técnico e força bruta necessários para lidar com essa ameaça.

Bruce hesitou. Seu cérebro recapitulou as palavras de Reed mil vezes num instante. Mas ele não conseguiu entender nada. O que, afinal, Reed estava oferecendo? Abrindo uma porta, enchendo a sala de luz, de *esperança*? Não. Trinta e sete pessoas. Dois cães. Bruce fechou e apertou os olhos.

— Bruce. Escute-me. Você é um *herói*. Sempre foi. Agora entre nessa nave e salve o mundo.

Reed sorriu com gentileza. Em seguida, sua imagem piscou e desapareceu.

Bruce ficou ali sozinho, no deserto, olhando para a reluzente aeronave. Sentiu o calor do sol nas costas. Quase duzentos quilômetros atrás dele ficava Las Vegas. Caos e sangue e morte e culpa para todo o sempre.

Porém, um ar fresco do interior da nave soprou no rosto dele. Telas brilhavam lá dentro, mostrando imagens e fluxos de dados acerca da ameaça que vagava em meio às estrelas. O cérebro de Bruce já começava a manipular as informações, decodificar o código, encontrar uma solução. Abriu-se uma frestinha na porta em sua mente. A sala se encheu de luz.

Salve o mundo.

Bruce respirou fundo, meio trêmulo. Um meio-sorriso insinuou-se em seus lábios. E ele entrou.

• • • •

Amadeus Cho, um supergênio coreano-americano de dezesseis anos, com um filhote de coiote enfiado numa imensa jaqueta militar, seguia em alta velocidade pela rodovia em sua Vespa. De olhos no céu, berrava no microfone portátil, o coração martelando em legítima fúria.

— Banner! Você tem que dar o fora daí agora!

Contudo, bem alto no céu, o sol tocou o casco reluzente da aeronave com um último cintilar; logo os motores explodiram e a nave sumiu, disparando para a estratosfera. Amadeus freou com tudo, sacou um pequeno tablet do bolso e começou a digitar furiosamente. Totalmente concentrado, sem tirar os olhos do código, procurou a solução, e seu cérebro fez o que sempre fazia, e acionou a quinta marcha feito um foguete soltando fogo. Amadeus sorriu, satisfeito.

Dentro da nave, Bruce ficou estupefato quando a voz do garoto crepitou pelo sistema de comunicação invadido.

– Banner! Está me ouvindo? Você precisa dar uma de Hulk e abrir um buraco nesse casco *agora mesmo*! É tudo uma *cilada*! Você tem trinta segundos antes de atingir a exosfera e...

A voz de Amadeus crepitou novamente e foi interrompida.

O holograma de Reed apareceu para Bruce. Outros três solenes e cintilantes heróis estavam logo atrás – Homem de Ferro, Raio Negro e Doutor Estranho. Tão corretos, tão justos. Contudo, quando Reed falou, sua voz soou tensa e forçada:

– Sinto muito, Bruce. Sei que não é culpa sua. Como eu disse, não foi *você* quem matou aquelas pessoas em Las Vegas...

O coração de Bruce começou a acelerar.

– ... mas, no entanto, elas morreram. Repetidas vezes, sua raiva e seu poder puseram inocentes em perigo. Algum dia, alguém poderia usar você para ameaçar o *planeta inteiro*.

Bruce agachou, cerrando os punhos, e sentiu o sangue disparar por suas veias e músculos. Amadeus o tinha mandado dar uma de Hulk, liberar o monstro, rasgar aquela nave imbecil em pedaços. Mas Amadeus não sabia de nada. Conhecera Bruce um ano antes, quando o Hulk o salvara de agentes secretos metidos em helicópteros pretos no deserto. Os dois criaram laços no mesmo instante – um frágil adolescente e um gigante verde cuja dificuldade em comum de controlar impulsos parecia aterrorizar o resto do mundo. Amadeus adorava o Hulk, ficava empolgado com sua raiva justa. Mas o garoto não fazia ideia do que Banner era realmente capaz de fazer... o que Hulk poderia fazer se algum dia realmente...

Banner imaginou Hulk rasgando o casco, despencando do céu, caindo na areia sob uma chuva de fogo e destroços. E depois, com um sorriso sombrio, seguindo para o leste, para o horizonte, para aqueles heróis fracotes e idiotas escondidos em suas torres reluzentes. Para despedaçá-los, arrancá-los do céu e esmagar e esmagar e esmagar...

Banner lutou contra o acelerar do coração, lutou contra a raiva que se avolumava em cada célula de seu corpo. Sussurrou baixinho, percorrendo os inúmeros mantras, orações e mecanismos de defesa que tentara ao longo dos anos, tudo isso se somando a pouco mais do que uma eterna palavra que ecoava de mil maneiras diferentes.

Não.

Não.

Não.

Não.

Não.

– Sempre achei que fôssemos amigos, Bruce – Reed prosseguiu. – Então estou realmente, genuinamente sentido por tê-lo enganado. Mas para o seu bem, e o nosso, vamos mandá-lo embora. É o único jeito de termos certeza. Sei que deve estar nos odiando, mas acredito de coração que esta pode ser a grande oportunidade da sua vida. Escolhemos seu destino com cuidado. Um planeta rico, cheio de vegetação e caça, mas desprovido de vida inteligente. Lá não haverá ninguém para te fazer mal. E ninguém a quem você possa causar algum mal. Você sempre disse que queria que o deixassem em paz. Que você a encontre, finalmente. Adeus, Bruce.

Porém, não havia mais Bruce Banner.

Agora havia somente o Hulk.

HULK VIA AQUELES FRÁGEIS E ESTÚPIDOS HUMANOS EM SEU FRÁGIL e estúpido monitor. Eles falavam e falavam e mentiam e mentiam, e logo ele não pôde mais ouvir suas vozes entrecortadas sob o pulsar furioso do sangue disparando por suas veias. Mas não era preciso ouvi-los para odiá-los. Suas bocas murchas abriam e fechavam. Seus olhos úmidos piscavam, e ele saboreava o desprezo e a raiva titânicos que o preenchiam ao ver aquilo. Então soltou um rugido e esmagou aqueles rostos estúpidos e reluzentes, abrindo um buraco no casco daquela aeronave idiota.

O frio gélido do espaço queimou seu rosto, e ele aceitou de bom grado, pois isso o deixou ainda mais furioso. E quanto mais furioso ficava, mais forte ficava. Ele sentiu a nave rangendo e girando. Luzes vermelhas acenderam e uma voz computadorizada gritou, em pânico, algo sobre erros de navegação. Ótimo. Aqueles humanos estúpidos não conseguiriam escondê-lo em seu estúpido planeta-prisão. Hulk retornaria, e quando pusesse as mãos neles...

Uma luz ardente o atingiu e, subitamente, ele estava ardendo em chamas. Por acaso o estavam lançando na direção do sol? Seu coração deu um pulo de pura alegria. *Isso*. Ele ficou *mais bravo ainda*.

Mas a luz ardente abriu uma fenda e girou num amplo torque em sentido horário, revelando seu centro negro, e a nave adentrou o portal que se expandia.

Hulk rugiu de dor e fúria ao sentir seu corpo ser esticado e transportado por anos-luz num instante.

Logo ele se viu despencando junto da aeronave por entre nuvens róseas, sentindo um ar doce preenchendo seus pulmões.

Hulk piscou. Criaturas rosadas com muitos tentáculos flutuavam ao redor, entre as nuvens. Ele mostrou os dentes, mas o alienígena mais próximo apenas ergueu a ponta de um tentáculo e angulou gentilmente sua cabeça comprida como a de uma lula para ele. Por um átimo de segundo, seu coração se acalmou. Reed dissera que o enviariam para um planeta pacífico, sem nada que pudesse fazer-lhe mal...

Mas então Hulk desabou num campo coberto por detritos, abaixo do portal, que pairava no céu, acima do planeta alienígena. Uma dúzia de de insetos humanoides de cascos amarelados e seis membros bateu suas mandíbulas e soltou gritos de guerra de perfurar os tímpanos.

Hulk sorriu quando as lanças e espadas ineficientes dos alienígenas ricochetearam ao tocar seu corpo. *Insetos idiotas. Iguais aos humanos. Comprando uma briga que jamais venceriam.* Hulk seria capaz de rasgar aquele planeta rechonchudo ao meio. Não havia como detê-lo. Não conseguiam sequer *feri-lo*.

Então um dos insetos ergueu uma pistola muito gasta. O cano enferrujado brilhou, um disparo cruzou o ar, e Hulk sentiu uma dor lancinante na mão. Sangue verde vazou dos nós de seus dedos. Ele escancarou os olhos, chocado. Vendo a pele rasgada, uma sensação o acometeu por dentro dos ossos. Algo lhe acontecera ao passar por aquele portal. Neste planeta, ele podia ser *cortado*. E *sangrava*. E poderia *morrer*.

Hulk sorriu de novo.

Ótimo.

Mais bravo ainda.

• • • •

O governador Denbo, da província imperial de Wukar, do planeta Sakaar, conteve um bocejo e acariciou protuberâncias finas e carnudas que brotavam de seu queixo. Estava numa ribanceira, acima da planície coberta de detritos, observando o imenso alienígena verde avançar feito um míssil contra um bando histérico de batedores nativos. Era fim de tarde, a hora mais quente do dia, e o governador estava muitíssimo incomodado com a sensação do suor escorrendo sobre sua pele carmesim debaixo de elmo e armadura.

A criatura verde era um dos maiores alienígenas que ele vira cair pelo Grande Portal; poderia render uma soma interessante no mercado. Contudo, o governador estava com dor de cabeça. Era um imperial de pele vermelha, membro da espécie dominante do planeta. Além disso, era um oligarca – relegado a morar longe da cidade, de fato, mas possuidor de quatro formações no queixo e a rica tez avermelhada da melhor das raças. Não deveria estar ali, suando feito um tolo no campo. Deveria estar em sua mansão, imerso com sua amante numa piscina relaxante, bebericando néctar de ovo fresco...

– Matem-no – murmurou ele. – Matem todos.

– Senhor... – disse o tenente.

O governador Denbo nem se preocupou em reprimir um suspiro. Nunca lhe respondiam um curto e justo "sim, senhor!" por ali. Era sempre um "senhor" seguido por aquela pausa chata. E ele mesmo era o culpado. Era bondoso demais, encorajava debates, dava ouvidos aos subordinados.

– Esse é o primeiro que eu vejo *se levantar* depois de ter passado pelo portal – disse o tenente. – Talvez seja *valioso*...

O governador contraiu os lábios e estreitou os olhos, tentando concentrar-se. Notara por conta própria o tamanho da criatura verde, é claro. Passou por sua mente informar rispidamente o tenente desse fato, mas pensou em quão magnânimo seria de sua parte não fazê-lo.

– Ele prestou atenção ao que eu disse – diria o tenente, no bar. – Ele prestou atenção!

Os outros soldados ficariam admirados, estupefatos.

O governador sorriu.

Ondas de calor que brotavam do solo distorciam a visão que o governador tinha do monstro, que gingou seus punhos imensos e lançou alguns nativos para o alto. O monstro recuou e soltou um rugido grave e ribombante que reverberou por todo o deserto. O governador sentiu algo remexer-se na boca do estômago, e ele escancarou os olhos ao reconhecer a emoção.

Medo.

Ficou atônito. Pelo menos isso era novidade.

• • • •

Hulk rosnou quando sentiu uma dor aguda explodir atrás da orelha. Ele meteu um tapa na nuca, jogando longe um pequeno dardo prateado, mas a dor espalhou-se feito fogo por sua pele, ao longo da coluna, até o cérebro. Palavras de idioma alienígena encheram o ar. Quando se virou, Hulk viu um ínfimo homem de pele vermelha descendo a encosta, metido numa armadura dourada, com um divertido elmo cheio de plumas. Em pouco tempo, os nanorrobôs que se infiltravam no cérebro de Hulk fizeram o seu trabalho, e as palavras do alienígena tornaram-se compreensíveis.

– ... e a julgar pela expressão comicamente imbecil de surpresa que está se espalhando pelo seu rosto, suponho que os robôs de fala alcançaram qualquer órgão limitado que você usa para cogitação. Então escute, escute. Eu sou o governador Denbo, da província de Wukar, e por ordem do Protetor Herói e Lorde Imperial de Sakaar, todo detrito que sai do Grande Portal é doravante considerado propriedade imperial. Portanto, eu o reivindico...

– Não está certo! – berrou um insetívoro, estalando todas as quatro garras, muito agitado. – Quem viu primeiro *clic* leva para casa! Essa sempre foi a regra!

– As regras mudaram, nativo – disse o governador.

– Mas o Rei *clic* Vermelho prometeu! As caçadas dele destruíram nossas plantações, e agora os robôs selvagens estão vindo. A vida da nossa colmeia depende do direito de...

– Basta! – exclamou o governador. – De joelhos, agora!

Os nativos hesitaram por um momento, rangendo as mandíbulas, passando espadas e lanças de uma mão para outra. Porém, os soldados do governador apontaram tranquilamente suas brilhantes lanças de energia, preparando-se para atirar. Os nativos se entreolharam, como se em silenciosa comunicação, e todos, simultaneamente, tremelicaram, resmungaram e se baixaram lentamente para o chão. Um cheiro fraco de folha queimada preencheu o ar.

– A colmeia... – murmuraram. – A colmeia morrerá...

– Todos nós temos problemas – disse o governador. – Agora você, ó hediondo ser verde. Estamos todos impressionados com sua capacidade de permanecer de pé após passar pelo Grande Portal. Por isso, sua nave será enviada aos cientistas do imperador para mais estudos. E você aprenderá a servir ao seu imperador. Vamos começar com a lição um: de joelhos.

Hulk encarou os alienígenas rosados fracotes no morro, tão pequenos, mas tão presunçosos.

– Tem sempre alguém gritando – grunhiu. – Querem a nave?

O barulho de algo se rasgando cortou o ar quando Hulk mergulhou as mãos na lateral da aeronave. O governador escancarou os olhos de tão surpreso, e logo a aeronave voava pelos ares, tendo sido arremessada na direção dele pelo monstro verde. O governador e seus homens se espalharam e fugiram da nave, que pousou com tudo no morro. Quando ergueu os olhos, o governador viu Hulk voando pelo ar na direção dele.

– Hulk não fica de joelhos! – berrou o monstro.

O governador estava bem acima do peso ideal. Começara recentemente a desenvolver uns tufos de velho nas pontas das orelhas. Ficava sem fôlego se corria um pouco que fosse de armadura completa. Contudo, quatro passagens pela guerra contra os robôs selvagens lhe ensinaram o que fazer com o terror que sentiu percorrendo suas veias.

Num movimento suave, o governador sacou a pistola do cinto e efetuou três disparos rápidos. Os dois primeiros passaram longe, mas o último atingiu Hulk bem no meio do peito. O monstro escancarou os olhos, e seus músculos amoleceram. O governador passou ligeiro para o lado, e Hulk desabou no chão, aos pés dele, inconsciente.

– Essa foi por pouco – disse o governador.

Quando se voltou para seus homens, um sorriso discreto abriu-se em seu rosto, e eles riram. Retirou o elmo, limpou o suor da cabeça careca e executou uma pequena reverência para seus lacaios, que ovacionaram, enquanto os nativos resmungavam e estalavam suas mandíbulas de medo.

· · · ·

– Começaremos o leilão com esses três nativos, dopados e castrados! – berrou o vendedor de escravos para uma discreta multidão no mercado da fronteira do sul de Wukar. – Prestarão serviços voluntários para juntar dinheiro para sua colmeia, que passa fome. É de apertar o coração, não? O valor inicial são quinze quadrados de prata.

– Por favor, compre-nos – grunhiu um nativo de casco amarelo. – Compre para que a nossa *clic* colmeia sobreviva.

Hulk deu uma resmungada e abriu os olhos. Estava atônito e furioso – algo lhe parecia ultrajante e ofensivo de tão errado. Somente quando tentou se levantar e as correntes que envolviam seu pescoço o puxaram de volta, de joelhos, ele entendeu do que se tratava.

Dor.

Todo o seu corpo doía, de um jeito que quase nunca acontecera na Terra.

– Cuidado aí, *clic* grandalhão – murmurou um pequeno nativo de casco preto acorrentado ao lado dele. – Acabou de sair do portal. Não forte ainda.

– Cala a boca! – Hulk rugiu, sacudindo as correntes. – Eu sou o mais forte que existe!

A dor percorreu os ossos de Hulk, e ele caiu de joelhos mais uma vez, fervilhando de raiva. Nada podia ferir o Hulk! Todo mundo sabia disso! Que diabo de planeta era aquele?

– Haha! Ele é um belo achado, não é? – disse o vendedor de escravos. – Não se preocupem, pessoal, ele não tem como quebrar essas correntes de forja negra. Mas é uma gracinha vê-lo tentar, não?

– Sessenta pelo pacote! – berrou do meio da multidão um imperial robusto de um olho só.

– Vendido! – devolveu o traficante, aceitando a prata do homem. – Embora, para ser bem honesto, eu mesmo teria pagado pra você me livrar do verdinho. Um pouco hostil demais, sabe?

O homem de um olho só abriu um sorriso quando a caixa de transporte desceu para perto do monstro que rugia e dos nativos ajoelhados.

– É por isso que eu o quero – disse. – O primeiro ato precisa de um pouco de empolgação.

Hulk e os nativos tropeçaram para o breu que estava dentro da caixa, atrapalhando-se com os pés, caindo uns nos outros quando o piso tombou. Sentiram que gingavam em pleno ar. Logo a caixa assentou com um baque, rangendo contra outra superfície de metal, e começou a tremelicar. Estavam em movimento, seguindo para um local desconhecido.

Pelas três horas seguintes, Hulk socou consistente, metódica e brutalmente as paredes internas da caixa, ignorando o choramingar dos nativos, a dor terrível nos punhos, braços e pernas e o sangue que pingava de seus braços.

Planeta idiota, portal idiota. Acham que podem me enfraquecer.
Hulk sorriu para si ao meter o soco de número 10330 e sentir o metal finalmente ranger e ceder.
Mas já estou ficando mais forte.
Hulk rasgou a parede de metal da caixa de transporte e lançou-se para a brilhante luz do dia, rugindo... E um rugido maciço mil vezes mais alto trovejou em resposta.
Ele piscou os olhos, ajustando-os à luminosidade, e viu os milhares de espectadores que gritavam nas arquibancadas da Grande Arena.

• • • •

No patamar real, no alto da arena, o governador Denbo olhava nervoso para o jovem e belo imperador, aninhado confortavelmente em seu trono dourado, mexendo tranquilo nas protuberâncias do queixo. Como o governador, o imperador tinha quatro destas e uma pele de um vermelho rico, típicos das mais aristocráticas famílias imperiais. Denbo e o imperador eram tecnicamente iguais no que diz respeito a estrato social. Perante Angmo, o Grande, pai falecido do imperador vigente, Denbo sentara-se e rira e papeara sobre receitas de néctar e as melhores maneiras de capturar uma rainha dos nativos. Contudo, ninguém se sentava junto ao jovem sucessor de Angmo.

– Que tédio, governador. Um tédio. Qualquer cabeça da morte da guarda pode libertar-se de uma jaula velha. Achei que tivesse trazido algo novo.

– Tenha paciência, sua eminência – murmurou o governador, e imediatamente sentiu um frio na barriga.

Quem seria tolo o bastante para mandar o Rei Vermelho ter paciência? Contudo, o imperador apenas suspirou.

O governador limpou o suor da testa para esconder o alívio. Talvez tudo não passasse de um terrível equívoco. Ele agraciara seus homens com seis rodadas de néctar de ovos após derrubar o monstro verde. Eles o ovacionaram três vezes e contaram a história de seu triunfo para todo mundo no bar. Pela primeira vez em anos, o governador voltara a sentir-se um herói. Ele fora para casa e deitara na cama com um sorriso nos lábios, pensando no monstro verde, e finalmente ligara para o primo do primeiro marido da mãe, o conselheiro de jogos imperial. E então, sentado na presença do imperador em pessoa, agarrando-se tolamente à pequena porção da glória que sempre achara que lhe fora negada, subitamente ocorria-lhe que, se dissesse a palavra errada ou risse na hora errada, talvez não chegasse vivo ao fim do intervalo.

– E agora, cidadãos e oligarcas, o ato um das festividades de hoje! – berrou o apresentador.

O governador havia escrito ele mesmo essas palavras. Sem se deixar notar, olhou para o imperador, censurando-se e se doendo por um lampejo de interesse que passasse pelo rosto do imperador.

– Um interlúdio empolgante e educativo durante o qual investigaremos os hábitos alimentares dos mais ferozes predadores do nosso planeta!

Lá embaixo, na arena, o pequeno nativo de casco preto piscou várias vezes, muito nervoso.

– Hábitos alimentares?

– O *Caravantus mazorus*, mais comumente conhecido como o grande demônio, sobrevive nas planícies e desertos do Alto de Vandro... – vociferou o apresentador.

A areia ondulou feito água, e os nativos berraram e se espalharam. Hulk cerrou os punhos, virando-se para ver os imensos tentáculos rosados que explodiram da areia para agarrar o nativo mais próximo. A multidão ovacionou e riu sob a voz do apresentador, que ecoou por cima dos guinchos dos nativos.

– ... onde os nativos vivem com medo de seus tentáculos letais e sua língua projétil afiada!

Um espeto de quase dois metros brotou da areia e fincou a carapaça de um aterrorizado nativo. A multidão riu e ovacionou quando a cabeça imensa do grande demônio sublevou-se de baixo para engolir inteiro o nativo, que berrava.

– Isso é novidade, não? – perguntou, animado, o governador.

O imperador apenas ergueu uma das sobrancelhas, com muita má vontade, e o governador sentiu um calor espalhar-se por todo o corpo.

– Pela colmeia!

Três outros nativos de casco amarelo avançaram contra o demônio com suas pequenas lanças. Contudo, o nativo do casco preto berrou para eles.

– Esqueçam a colmeia, seus cabeças ocas! Agora é hora de esquivar, fugir e esconder!

Os tentáculos do demônio tomaram os nativos que se aproximavam, que guincharam de terror. A língua-arpão do demônio retraiu-se para dentro da bocarra. O nativo de casco preto saiu correndo, sacudindo a cabeça.

– Eu disse! Eu disse!

Mas então um borrão esverdeado passou por ele, e as imensas mãos de Hulk dominaram o tentáculo que se agitava mais perto deles. Os nativos de casco amarelo tombaram, livres, quando Hulk arrancou o tentáculo do corpo do demônio. A plateia exclamou em uníssono; uma verdadeira brisa cobriu a arena, gerada pelo ar desprendido por dez mil pares de pulmões.

O imperador ergueu outra sobrancelha. O governador sentiu seu coração dar um pulo.

Foi então que outros seis tentáculos envolveram o monstro verde, e o demônio o enfiou goela abaixo com um ruído alto e molhado.

– E assim voltamos ao *tédio*, governador – disse o imperador, recostando-se no trono.

– Peço desculpas, sua eminência. Tenho certeza de que o segundo ato será...

Antes que terminasse de falar, um pedaço de carne quente acertou o governador na bochecha. Chocado, ele se virou para olhar para a arena, e viu Hulk rasgar uma abertura para escapar da barriga do demônio, erguer os punhos e rugir, triunfante.

O imperador inclinou-se para a frente, rindo, um brilho no olhar. O governador fitou seu rei, radiante de empolgação e alívio.

· · · ·

Miek, o pequeno nativo do casco preto, ficou olhando pasmo para Hulk. Em suas míseras catorze estações de vida, jamais vira algo sobreviver ao ataque do grande demônio – muito menos matar um destes. Miek viu Hulk virar-se, cuspir um teco da carne do demônio, e seus seis corações agitaram-se com uma *felicidade* incomum, mas absolutamente gloriosa e feroz.

Outros dois demônios surgiram da areia. Os nativos de casco amarelo caíram de joelhos, aterrorizados.

Contudo, Miek baixou-se, pegou uma espada e foi para o ataque.

– Minhocas idiotas! – berrou ele, e agarrou os nativos amarelos com seus outros três braços, na tentativa de arrastá-los para um local mais seguro.

Eles guincharam e se debateram contra as garras dele.

– Ah! Pária! Sujo!

– Não nos ligaremos a você, seu descolmeiado!

– Não pedi para se ligarem, tolos covardes – berrou Miek. – Só pra calar a boca e fugir!

Miek sentiu a areia sacudir debaixo de seus pés. Os demônios eram rápidos demais. Que tolice. Miek, tão bom em fugir e se esconder e sobreviver, morrer ali em campo aberto desse jeito?

Mas Miek viu Hulk agachar atrás dele, pegar um imenso machado de batalha e olhar para ele com uma carranca. Miek sorriu e correu na direção do verdão. Hulk escancarou os olhos quando viu Miek se aproximando, com dois demônios avultando-se logo atrás. Ele então brandiu o grande machado e atravessou os monstros bem no rosto. Eles foram ao chão, agitando os tentáculos ao morrer. Hulk virou-se e rugiu para Miek.

– Quer aprontar pro meu lado, seu moleque?

– Ei, ei, chega de *clic* lutar! Está tudo acabando. *Ouça* – disse Miek.

O nativo virou-se e abriu bem os quatro braços, sorrindo para uma empolgada plateia.

– Mas que torcida! – exclamou. – Tudo pra nós. O Rei *clic* Vermelho *perdoar* a gente agora.

Hulk fitou Miek.

– Rei Vermelho?

– O imperador! – Miek berrou, apontando para o trono. – Planeta dele! Nós apenas morando aqui!

Hulk olhou para o imperador. Este – ainda reclinado, afagando os estemas – devolveu o olhar, com um sorriso discreto nos lábios cruéis. Hulk estreitou os olhos ao reconhecer o governador Denbo, que abriu e fechou a boca três vezes, atônito e chocado.

Hulk saltou para o trono. Seus músculos gritavam. Cada corte em seu corpo tornou a abrir. Jamais sentira tamanha dor na vida. Mas mesmo assim sorria.

Finalmente sabia quem tinha de esmagar.

Uma energia azul ardente fulgurou por todo o corpo de Hulk e o derrubou de volta na areia. Ele rosnou, esforçando-se para ficar de pé, mas incapaz de controlar os espasmos nos músculos. O cheiro da própria carne queimando encheu suas narinas.

Uma guerreira das sombras de pouco mais de dois metros de altura e pele acinzentada apareceu de detrás do trono do imperador, baixando a arma, que ainda fumegava. O governador, sorrindo, trêmulo de alívio, deu um passo para trás, dando espaço suficiente para a guerreira, que sacou um cajado de duas lâminas. Antes de saltar para o solo da arena ela parou, com um dos pés na murada, e olhou para o Rei Vermelho.

– Tenho permissão, milorde?

– Não, espere.

O Rei Vermelho levantou-se do trono, e um amplo e presunçoso sorriso abriu-se em suas feições reais.

– Eu cuidarei desse pessoalmente.

• • • •

Uma enorme espada lascada e um escudo gasto bateram na areia em frente a Hulk.

– Você podia ter sido perdoado – disse o imperador. – Talvez eu até tivesse feito de você um cidadão. Mas em vez disso você tentou me matar. E, por isso, seu imperador agradece. Porque vou me divertir muito agora.

A multidão rugiu de riso e sede de sangue vendo o imperador descer do alto num lampejo dourado, soltando fogo pelos jatos das botas de sua robusta armadura. Ele brandia uma bela espada que crepitava com energia azulada.

– Só depende de você, monstro. Prefere morrer de pé ou será de joelhos?

Hulk apertou mais ainda os dedos em torno do cabo da espada gasta que empunhava.

A plateia fez uma algazarra, e o Rei Vermelho sorriu.

Hulk atacou, brandindo violentamente. O sorriso do Rei Vermelho se fechou – a fera era muito mais ágil do que ele havia imaginado. Contudo, os jatos da armadura acionaram-se automaticamente, fazendo-o recuar. A espada de Hulk passou assoviando, cortando somente o ar.

– Não me decepcione – disse o Rei Vermelho. – Não tem como vencer somente com força bruta.

O Rei Vermelho brandiu sua espada. Jatos dispararam em sua manopla, impelindo a espada para o alvo, aumentando o poder do ataque em mil vezes. O escudo de Hulk estilhaçou-se com o impacto, e ele sentiu os ossos do antebraço rangendo e crepitando.

– *Eu sou* o mais forte que existe – disse o rei.

A visão de Hulk virou um borrão quando seu coração martelou com uma raiva terrível. Se ficasse bravo desse jeito na Terra, explodiria com uma força jamais vista. Teria podido rasgar montanhas ao meio, abrir fendas tectônicas no solo, quebrado o mundo inteiro.

Porém, neste planeta idiota, a raiva apenas o cegava.

– Se quiser ter um mínimo que seja de chance, terá de ser *mais esperto* – disse o Rei Vermelho. – *Mais ágil.*

Hulk avançou, brandindo a espada. Porém, os jatos automáticos do Rei Vermelho dispararam. Ele se esquivou dos ataques, deu a volta e passou por trás de Hulk, e então o tomou pelo ombro e girou para pousar na frente dele. E mandou um veloz golpe de espada.

– Assim...

Um líquido verde e brilhante espirrou no ar. Um disparo agudo de dor pinicou Hulk na bochecha, e ele se flagrou vendo o próprio sangue pingar na areia.

– ... e assim.

O Rei Vermelho girou, atingindo três dos acovardados nativos amarelos. As cabeças decepadas tombaram na areia quente, olhos arregalados e mandíbulas ainda clicando num último e horrorizado pulsar de sangue.

Miek atacou o Rei Vermelho pelas costas, lança em punho, aos berros. Não tinha laço algum com os outros; não tinha laços com ninguém. Aprendera, após muitas situações, que ninguém neste planeta jamais se sacrificaria por ele. Mas sentira o cheiro de Hulk ao gotejar na poeira. Captara a conexão química aterrorizada que os nativos empreenderam ao morrer. Farejara os feromônios do Rei Vermelho acesos com uma alegria feroz e presunçosa. E não pôde suprimir a justa raiva que se assomou em seus corações. O Rei Vermelho virou-se para ele, sorrindo, a espada reluzindo, e Miek soube então que iria morrer.

No mesmo instante, Hulk meteu o cotovelo em Miek pela lateral do corpo, lançando-o para longe do perigo, e ergueu sua imensa espada lascada para conter o golpe do rei.

– Sai fora, inseto.

Miek sentiu seu casco tremer com a proximidade do rosnado de Hulk.

– Ele é meu.

Hulk lançou-se para o Rei Vermelho – selvagem demais, lento demais. O rei esquivou-se pela terceira vez, rindo muito.

– O monstro não aprende – zombou o Rei Vermelho.

Hulk não disse nada. Apenas empregou o mesmo truque do Rei Vermelho, agarrando-o pelo ombro por trás e girando para pousar bem na frente dele.

Hulk meteu um golpe veloz de espada. Sangue vermelho e brilhante espirrou no ar, e um disparo agudo de dor pinicou o Rei Vermelho na bochecha. Ele tocou o rosto, viu o sangue nas pontas dos dedos e olhou para Hulk, chocado. Hulk apenas sorriu.

– Hulk corta.

O solo sacudiu-se com rachaduras trovejantes quando Hulk lançou-se em mais um ataque. O imperador atrapalhou-se para empunhar direito a espada, que estava escorregadia, subitamente coberta de sangue. O rugido de Hulk rasgou o ar, e o imperador sentiu um incômodo nas entranhas. Flagrou-se caindo. Viu a espada enferrujada de Hulk trespassando seu ombro, dividindo-o ao meio. Viu suas vísceras se derramando na areia. Viu seus cidadãos e servos e escravos gritando e chorando. Viu seu pai morto imponente acima dele, rugindo de tanto rir...

Foi então que a guerreira das sombras pousou na areia entre Hulk e o imperador, erguendo seu cajado para bloquear o golpe do grandalhão. O imperador fez careta quando o intenso tilintar fisgou seus ouvidos. Soube então que o ataque de Hulk teria estilhaçado sua armadura de guerra e trespassado seus ossos. Mas a guerreira das sombras se impôs – pés firmes no solo, pétrea – contra a espada de Hulk esmagando seu cajado.

– Não seja tolo – disse ela a Hulk. – Eu sou Caiera, a Fortaleza, a Sombra Gladiadora do Imperador. Você aprende rápido, mas não pode me vencer.

Hulk encarou aqueles olhos singulares, com as íris verdes cercadas por um preto muito denso.

– Você não é deste mundo – disse ela.

– Ainda não – ele rosnou.

Caiera encarou o monstro. Era um alienígena, tinha acabado de passar pelo Grande Portal, e não fazia ideia de como ela era forte. Mas podia sentir as batidas do coração dele reverberando no solo, firmes, sinceras e sem a menor sombra de medo, e ocorreu-lhe que ela também não fazia ideia de quão forte *ele* realmente era.

– Que o perdedor tenha uma morte justa – disse ela, e recuou de perto de Hulk.

Os dois firmaram os pés na areia, sempre se encarando. Ela viu que ele a avaliava, analisando sua postura, planejando os movimentos. Já empunhava a espada com tranquilidade, como se lutasse com ela há anos. *Aprende rápido, de fato.* Caiera flagrou-se abrindo um sorriso.

A plateia começou a ovacionar.

Subitamente, ardente energia azulada percorreu todo o corpo de Hulk, e ele tombou inconsciente aos pés dela. Caiera virou-se, furiosa.

– A luta era *minha*! Quem...

Um robô cabeça da morte de armadura negra baixou sua arma, que ainda fumegava. O imperador deu um tapinha no ombro do guarda, sorrindo preguiçoso para ela.

– Ora, ora, Fortaleza. Não posso deixar minha sombra roubar o show, posso?

O imperador voltou-se para a plateia e ergueu os braços.

– Vejam! O lorde imperador e herói protetor de Sakaar concede a vida a seu escravo!

• • • •

O governador de Wukar tremia quando o imperador retornou para seu trono dourado. Os momentos seguintes seriam decisivos. Deveria ele implorar por perdão? Não, jamais – o ato insinuaria que o Rei Vermelho fora humilhado. Não havia coisa pior. Congratular o rei pela vitória? Mesmo não tendo havido vitória? Não, o imperador adorava ser elogiado, mas era esperto o bastante para odiar aduladores. Restava somente o mais arriscado de tudo: falar como um adulto, um governador de confiança a serviço do rei. Tratar o tirano como o líder que ele jamais fora...

– Ele o fez sangrar perante a plateia, milorde – murmurou o governador. – Acha sensato permitir que ele viva?

– Quem falou em permitir que ele viva? – disse o imperador. – Ele vai direto para a Boca.

O imperador riu, deu uma piscada para o governador e aninhou-se no trono. O governador ficou imóvel por um instante, chocado além do possível com seu incrível sucesso. Em seguida reclinou a cabeça, ordenou mais uma rodada de néctar de ovos e foi calmamente assumir seu posto, ao lado do imperador, mantendo cautelosamente o que esperava parecer o sorriso sábio e prudente de um conselheiro real recém-criado.

Seu coração estava numa alegria só.

• • • •

Hulk acordou no escuro, cercado por nativos que choramingavam, dentro de uma caixa de transporte que sacolejava e inclinava. Miek estava em frente a uma pequena janela estreita, na lateral da caixa, com uma luz alaranjada refletida nos olhos amarelos.

– Escute o Miek – avisou ele. – Ninguém olhando pra fora da *clic* janela.

Um nativo amarelo imediatamente espiou por cima do ombro de Miek e urrou de horror.

– Eu disse não olhando! – ralhou ele.

Hulk avançou, empurrou os nativos dali e espiou pela fenda. À frente deles estava a Boca, um fosso gigante contornado por celas e torres de vigilância. Supervisores em discos flutuantes monitoravam a ação no piso do fosso, cercados por jorros de magma que explodiam para o alto e por imensos monstros de lava que avançavam contra gladiadores de armadura, que se defendiam aos berros.

Os nativos amarelos choramingaram e clicaram as mandíbulas.

– Por que estão chorando? – zombou Hulk. Seus olhos cintilavam, refletindo a luz do magma fervilhante. – Isso vai ser divertido.

NAS PROFUNDEZAS DAS CAVERNAS DOS SUSPIROS, na extensão norte de Wukar, sete dos oito magistrados da Insurgência Democrática Sakaariana estavam sentados, reunidos em conselho, em torno do fogo, em suas roupas esfarrapadas, dando prosseguimento à mesma interminável conversa que se arrastara por cada uma das doze estações do reinado do Rei Vermelho.

— A guerra do imperador está ficando cara demais. Ele aumentou a tributação em cima dos nativos de novo... e lhes negou a prioridade de ficar com o que passa pelo Grande Portal. Creio que chegou a hora de abordá-los para tratar de uma aliança.

— Nossos pais e os pais de nossos pais tentaram fazer isso. Os insetos não pensam da mesma maneira que nós. Eles não *lutarão*.

— Nós também não, pelo visto.

— Não é o momento certo. Vocês viram o que aconteceu quando a guarnição resistiu em Embo. Ele destruiu a cidade toda... e ninguém fez nada!

— Inclusive nós! E se *nós* nos impuséssemos? E se *nós* fizéssemos alguma coisa?

— Nenhuma insurgência da história sobreviveu sem imenso apoio popular! Ainda não é o momento certo...

— Mas é *sim*.

Um jovem e ofegante imperial aproximou-se da fogueira. Era o quinto magistrado, último do grupo, chegando atrasado para a reunião.

— Venho da Cidade da Coroa. Não ouviram falar ainda, não é?

— O quê? Você conhece o protocolo de segurança. Comunicadores são proibidos no conselho.

— Bom, então, vejam isso.

O quinto magistrado estendeu um brilhante disco de dados. Imagens granuladas do Rei Vermelho poupando Hulk reluziram contra a luz do fogo.

— O imperador entrou na arena ontem para cortar a bochecha de um escravo que o havia ofendido. E o escravo o cortou *de volta*.

Os rebeldes fitavam o disco diminuto, vendo um jorro fino do sangue do Rei Vermelho espirrar para o alto quando a espada de Hulk passou sibilando pelo rosto dele. *O sangue do Rei Vermelho*. Ninguém disse essas palavras em voz alta. Ansiavam por aquilo do fundo da alma; no entanto, nenhum deles jamais nem sonhara que chegaria a ver o tirano sangrar. Nenhum deles jamais sequer imaginara a alegria vívida e o medo que todos sentiram nesse momento.

– Mas, dentro da armadura, o Rei Vermelho é intocável. Ninguém tem poder para...

O quinto magistrado olhou para o rosto de Hulk, que rosnava, aparecendo no disco de dados.

– *Esse* homem tem esse poder. E a *vontade*. E, quando o encontrarmos, *nós* também teremos.

Os magistrados ficaram em silêncio, ouvindo o ovacionar fraco da plateia emanando do disco de dados.

A plateia.

O povo.

O povo *deles*.

Comemorando ao ver o sangue derramado de seu próprio rei.

••••

Primus Vand – um robusto imperial com dois estemas, tapa-olho, placa de aço na cabeça e 330 cicatrizes espalhadas – pairava acima da Boca sobre um disco flutuante, enquanto seus guardas destrancavam as caixas de transporte presas às costas dos lagartos dramutes. Três grupos de escravos novos tropeçaram para fora das caixas até o campo central da Boca. Primus passou um olhar treinado por eles. Uns poucos brutamontes – incluindo o gigantesco monstro verde que tanto furor causara na Grande Arena – e um bando de molengas assustados sem valor. Não era grande coisa. Contudo, Primus estava no ramo tempo suficiente para saber que não devia fazer predições demais. Esse tal Hulk tinha conseguido deixar uma cicatriz no imperador, mas os monstros que se mostravam os mais durões costumavam ser os primeiros detonados na Boca. E, de vez em quando, o rosinha mais frágil acabava tendo o ardor necessário para sobreviver – ou até vencer. O próprio Primus o provara, anos antes. Ele suprimiu um sorriso. Que o Filho de Sakaar o ajudasse. Após todos esses anos, ele ainda adorava isso.

– Eu sou Primus Vand – disse ele ao bando. – Passei quatro estações sem ser derrotado nas arenas imperiais e tive a liberdade concedida pelo pai do imperador, Angmo, o Grande. Se fizerem o que eu mandar, talvez aprendam o que é preciso para saborear a mesma glória que eu vivenciei. Mas isto aqui é a Boca. A escola de treinamento de gladiadores mais letal do império. E a Boca precisa de alimento.

Primus apontou seu cajado de obediência para os escravos.

– Primeira lição. Quando eu mandar ajoelhar... *ajoelhem-se*.

O cajado de Primus soltou faíscas. Hulk olhou para o peito e pareceu notar somente agora um disco oval com centro escuro e brilhante implantado logo acima do coração. Foi agarrar o disco, mas se retraiu de dor quando arcos de energia azul fulguraram ali. Os outros escravos chacoalharam, tendo posto as mãos em seus discos, e caíram de joelhos. Hulk, porém, apenas rangeu os dentes e ficou encarando Primus.

– Desista, escravo – disse este, com expressão presunçosa. – Um disco de obediência foi implantado em você. Se o forçar demais, ele vai fritar seu cérebro.

Hulk rangeu ainda mais os dentes e ficou olhando para Primus, com o disco de obediência soltando faíscas. Primus tocou mais uma vez o painel em seu cajado. O disco latejou; Hulk soltou um rugido estrangulado e baixou um dos joelhos no solo. Primus abriu um sorriso pequeno e apontou o cajado para o resto dos escravos.

– Criminosos. Traidores. Escravos. Monstros. Ninguém neste planeta acha que vocês merecem viver. Porém, aparentemente, alguns de vocês ainda têm *orgulho*, por mais idiota que isso seja. Alguns talvez ainda acreditem merecer *respeito*. Até mesmo *glória*. Mas o que farão para pôr as mãos nela?

– Com licença! – berrou um nervoso imperial de meia-idade.

Usava os robes de seda compridos de um oligarca, mas o rosto apresentava hematomas, e as roupas estavam rasgadas e sujas. Um gigante imperial de mais de dois metros, segurança do outro, pelo visto, estava ao lado. Uma jovem e chocada imperial estava agachada logo atrás deles.

– Eu sou Ronan Kaifi, cidadão do império e representante eleito no congresso da comunidade! A lei não significa mais nada? Eu exijo saber do que fui acusado! Eu exijo um julgamento! Eu exijo...

Primus Vand apontou o cajado da obediência e disparou um relâmpago de energia azul no reclamão, reduzindo-o no mesmo instante a cinzas pretas fumegantes. O gigante imperial soltou um grito de choque e fúria, mas seu disco de obediência fulgurou. Ele congelou, olhando feio para Primus, de punhos cerrados, cada músculo em seu corpo se retesando. A jovem imperial arquejava, e o gigante virou-se para protegê-la, toda trêmula, a pele passando para um rosa pálido de tanto horror.

– Vinte e dois entraram neste campo – disse Primus, sem emoção. – Apenas sete sairão.

Com um gesto dele, um de seus homens pôs no campo um grande carrinho de armas gastas, que tirou de um disco flutuante.

– Lutem ou morram.

• • • •

Miek e os nativos amarelos se acocoraram, por instinto, junto de Hulk, a coisa mais próxima de um amigo que tinham nesse novo mundo. Do outro lado do campo, o gigante imperial empurrou a jovem para perto de um grupo de aterrorizados imperiais que estava perto de um humanoide gigantesco que parecia ter sido esculpido de um granito amarelo todo irregular. Hulk viu o homem de pedra, o único prisioneiro que tinha quase o mesmo tamanho que ele, agachou e pegou uma enorme espada lascada. Os imperiais, Miek e os outros nativos correram se abaixar para pegar armas.

– Nós pegando isto aqui. Todo mundo *clic* junto como antes, certo, Duas-Mãos? – disse Miek.

– Fique longe de mim – disse Hulk.

– Deixa disso – disse Miek. – Todos nós precisando de todos. E tem mais algo de estranho... Primus dizendo *vinte e dois*, mas Miek só contando dezesseis.

Contudo, Hulk tinha o olhar grudado no homem de pedra, que finalmente se abaixou e pescou um machado grande. O homem de pedra apontou sem nada dizer a Hulk, e somente para Hulk, que sorriu.

– Ótimo.

Hulk lançou-se à frente. Miek soltou um guincho de guerra, avançando junto dele. O monstro de pedra desatou adiante com um rugido que soou mais como um terremoto, e os dois lados colidiram. Hulk brandiu a espada com toda a força, mas o homem de pedra agarrou a lâmina com uma das mãos e a prendeu com firmeza. Os brutamontes ficaram grudados, debatendo-se bem no meio do campo, derrubando outros combatentes no solo ao redor. Hulk tentava libertar a espada, mas o monstro de pedra largou seu machado e agarrou os braços de Hulk com suas enormes mãos.

– Espere, amigo – disse ele, muito rouco, no ouvido de Hulk. – Se trabalharmos juntos, podemos...

Hulk girou, derrubou o homem de pedra com uma rasteira e ergueu a espada, mirando a ponta para baixo. Antes que ele pudesse mergulhar a lâmina no solo, grandes dentes fincaram-no bem no ombro, perfurando até o osso, e tentáculos com garras protegidas por uma armadura de quitina laceraram seu rosto. Hulk virou-se e brandiu as mãos contra a monstruosidade voadora que o atacava. Ela ascendeu de volta para o ar, sibilando e chilreando. O sangue de Hulk escorreu sobre seus olhos, mas mesmo assim ele viu lampejos de mais desses monstros voadores atacando nativos e imperiais por todos os lados.

– Nós somos a Ninhada – sibilou o monstro, mergulhando para atacar Hulk no rosto mais uma vez. – E vocês são o almoço.

Hulk abriu um sorriso e lançou seu punho, esmagando o bicho, estilhaçando seus dentes.

– Então pegue um sanduíche.

Sangue espirrou. Corpos foram rasgados. Ossos, estilhaçados. Olhos brilhantes perderam o viço, prensados na areia. Mas logo Primus Vand ergueu o cajado. O disco de obediência de Hulk fulgurou, e ele caiu de joelhos. Quando ergueu o rosto, viu outros ex-escravos ajoelhando-se entre os corpos dos que haviam tombado, cobertos de vísceras, espancados e sangrando, mas vivos: o gigante imperial, a jovem imperial, o homem de pedra, um guerreiro das sombras alto e cinza, um membro da Ninhada e o pequeno Miek. Com dificuldade, todos foram ficando de pé, entreolhando-se, vacilando os pés sobre a areia, preparando-se para o que mais pudesse acontecer.

– Vocês sete sobreviveram ao corte – disse Primus. – De agora em diante, serão uma equipe. Durmam bem. Amanhã será pior.

••••

Guardas brandindo cajados de obediência urgiram os sete sobreviventes para uma cela, meteram uns poucos pedaços de carne malpassada por entre as barras e os deixaram na escuridão. A jovem imperial aninhou-se contra uma das paredes e ficou de olhos fixos, perdidos, no chão. O gigante imperial sentou-se ao lado dela, olhando para os demais com desconfiança. O membro da Ninhada arrastou um pedaço de carne para um canto escuro e começou a comer, babando muito. O homem de pedra e o guerreiro das sombras de pele cinza ficaram sentados em silêncio. Miek cutucou seu disco de obediência e soltou um ganido quando o aparelho faiscou com energia azul, queimando sua garra.

– Se nenhum de *nós* consegue tirar isso fora, o que o faz pensar que *você* conseguirá, insetinho? – sibilou o membro da Ninhada. – Você não vai durar muito tempo, vai?

– Por favor, indo cuidar da sua vida – disse Miek.

– Todo sozinho, sem membros da colmeia para protegê-lo – zombou o alienígena. – Tão triste. Tão triste.

Miek endireitou-se e encarou o membro da Ninhada com um olhar feroz.

– Nunca tendo colmeia, nunca precisando de uma – disse. – Mas você...

Miek pendeu a cabeça – inalou profundamente, saboreando o ar – e abriu um sorriso irônico.

– Estou te sentindo. Está chamando as suas irmãs. Mas não respondendo. Estão mortas, todas fatiadas e perfuradas na areia. *Você* que não vai durar.

O membro da Ninhada encarava Miek em silêncio. Sua carapaça tilintou baixinho quando os músculos se enroscaram e retesaram. Hulk ergueu uma das sobrancelhas e inalou o ar. Um cheiro pungente e acre emanava da fera voadora – uma mistura sinistra de tristeza e fúria.

Ela se lançou à frente, abrindo bem a boca enorme. Miek soltou um guincho de terror. Porém, a imensa mão pétrea do homem de pedra envolveu o membro da Ninhada pelo pescoço, e ela cerrou os dentes, abocanhando apenas o ar, a poucos centímetros do rosto de Miek.

– Eu sou Korg – rugiu o homem de pedra. – Eu poderia aniquilar qualquer um de vocês. Porém, se o fizesse, teríamos um lutador a menos amanhã. E então todos nós poderíamos morrer. Gostando ou não, agora dependemos uns dos outros.

Korg olhou feio para o membro da Ninhada, que sibilou. Mas logo relaxou e desatou lentamente os tentáculos e as garras do braço e do ombro de Korg. Este afrouxou os dedos em torno do pescoço dela, e ela correu se soltar para voltar para seu canto escuro.

– Então, vamos conversar – disse Korg. – Nomes e habilidades.

Os outros permaneceram sentados, num silêncio incômodo. Korg olhou bem nos olhos de Miek e acenou para que começasse. Miek sorriu de volta, levantou-se e bateu no peito diminuto com as duas garras.

– Eu sendo Miek! Sem colmeia e nem aí! Habilidades? Lutando a quatro mãos, roubando, escondendo, escapando.

Os outros apenas observavam. Mas falar pareceu conceder nova confiança a Miek. Ele se voltou para o membro da Ninhada com uma expressão zombeteira.

– E quanto a você, insetão?

A insetívora estalou e sibilou de seu canto escuro. O cheiro amargo que exalava ficou ainda mais forte.

– Sou um membro da Ninhada. Que não existe mais. Sem rainha. Sem irmãs. Sem nome. Vocês viram do que sou capaz.

– Sem-Nome, então – disse Korg.

Ele se voltou para o guerreiro das sombras, que estava sentado de pernas cruzadas, cabeça inclinada, olhos fechados, imóvel feito pedra. Cicatrizes pretas marcavam sua testa e ziguezagueavam pelas bochechas, a começar do canto dos olhos, conferindo ao rosto dele um aspecto trágico que suas maneiras estoicas apenas deixavam mais evidente.

– Ele não falará conosco – disse o gigante imperial. – É uma sombra dissidente, ainda com os trajes de deserto. Seus dias resumem-se ao silêncio e à oração. Mas quando chegar a hora, ele lutará como nada que você já tenha visto na vida.

– E quem é você? – perguntou Korg.

– Capitão Lavin Skee, e servia à guarda imperial. Meu empregador era Ronan Kaifi, representante do congresso da Quinta Comunidade Regional. O homem que o treinador matou.

– Meu pai – disse, sem emoção, a jovem imperial.

– Essa pequena sabe lutar? – perguntou Korg.

– Meu nome é Elloe Kaifi – disse a jovem. – E-eu venci o campeonato de salto na escola faz dois anos...

Elloe hesitou, sacudiu a cabeça e conteve o choro. O gigante a tocou gentilmente no ombro, e ela engoliu em seco.

– Não sei lutar muito bem...

Ela olhou para Korg, e seus olhos pareceram adquirir foco pela primeira vez. Ela piscou os olhos e franziu a testa, como se avaliasse as diferentes emoções que brigavam por sua atenção. Seus olhos ficaram ferozes de raiva.

– ... mas vou aprender.

– Ótimo – disse o homem de pedra, tornando a sorrir.

– Não – disse Hulk. – *Burrice*.

Os demais se viraram para ele. Estava todo machucado, o corpo inteiro esfolado. Parecia exausto, como se fosse desabar ou adormecer a qualquer momento.

Contudo, tirando Korg, continuava sendo o maior monstro da cela.

– Você disse que não podemos sobreviver sozinhos – pronunciou, olhando feroz para o homem de pedra. – Por isso, temos que lutar *juntos*. Como uma *equipe*.

– Isso mesmo – disse Korg.

– Mas todos nós já vimos como funciona este mundo – disse Hulk. – Como será quando chegar a hora de matarmos uns aos outros?

Korg encarou Hulk em seus cintilantes olhos verdes, e subitamente ocorreu-lhe que os momentos seguintes determinariam o restante de sua vida. O verdão estava tomando uma decisão – e dependendo de como disparassem os neurônios dentro do sabe-se lá que cérebro ele possuía, poderia ser o fim de tudo. O monstro poderia atacar para matar – ali mesmo, naquele instante. E Korg não poderia culpá-lo. Se tivesse que morrer naquele dia, sem problema. Fizera tudo o que podia fazer, do melhor modo, do mais justo que conseguira. Uma calma grandiosa o preencheu, enquanto ele fechava e abria seus imensos punhos.

– Nós dois sabemos como será – disse Korg. – Mas até chegar esse dia, somos *amigos*.

Hulk respirou fundo. Korg sentiu a mudança no ar dentro da câmara. Hulk exalou e baixou lentamente a cabeça sobre os braços cruzados.

– Me acorde quando for a hora de lutar.

A tensão vazou para fora do corpão maciço de Hulk. E ele começou a roncar.

Korg ouviu um raspar muito discreto. Quando olhou, viu o guerreiro das sombras devolvendo uma faca para a bainha. O guerreiro viu que Korg o fitava, e abriu um sorriso curto.

– Então – disse Miek. – Amigos.

Miek olhou ao redor da sala, sorrindo. Elloe devolveu o sorriso, por reflexo. E fez careta. Depois soltou um suspiro cansado e foi tornando a sorrir.

– É – disse ela. – Amigos.

••••

Hulk acordou com a dor aguda causada por seu histérico disco de obediência. Erguendo-se com dificuldade, viu os outros se alinhando perante os guardas e notou, com certa surpresa, que todos tinham sobrevivido à noite.

Os guardas os guiaram para marchar por túneis úmidos que levavam até a porta que dava para a arena central da Boca. Hulk sentiu o calor antes mesmo de deixarem o túnel. Estavam seguindo para os fossos de lava que viram assim que chegaram.

– Vocês são uma equipe, lembram? – berrou Primus Vand de seu disco flutuante. – Vejamos se sabem lutar juntos!

Hulk e Korg estavam lado a lado, de olhos fixos no magma. Bolhas imensas ergueram-se e estouraram, liberando plumas de gás quente e tóxico no ar, fazendo arder os olhos de Hulk. Foi então que a superfície ondulou-se e algo gigantesco ergueu-se lá de baixo.

– Monstro de lava – disse Lavin Skee. – Vimos quando chegamos. Elloe, atrás de mim. Não há como sobreviver...

– Não – Korg disse lentamente. – Isso é outra coisa.

A forma que borbulhava para fora do fosso de lava dividiu-se em três grandes montes.

– Seja lá o que forem, são grandes – disse Korg. – Pele-Verde, atacaremos o primeiro em dupla; ver do que é feito. Os demais...

Korg não terminou a frase porque prendeu a respiração. A primeira das criaturas saiu do fosso de lava, com magma pingando do rosto e dos ombros pétreos.

– Margus? – Korg sussurrou. Ele deu um passo à frente e estendeu as mãos. – Meu irmão!

A criatura de olhos mortos gingou seu enorme punho de pedra e derrubou Korg no chão com um baque intenso. Hulk partiu para o ataque e quebrou sua espada nos ombros do monstro.

– Margus, por favor! – grunhiu Korg.

– Ele não pode ouvir! – Lavin gritou. – Enfrentou demais o disco... seu cérebro já era!

Outros dois homens de pedra de olhos vidrados atacaram Hulk por trás. Ele girou, socando-os, mas apenas abriu a pele dos nós dos dedos naquelas carapaças de pedra.

– Korg! Eles não quebrando! – berrou Miek. – Nós precisando de você! Lutando *clic* juntos!

– Não contra os meus irmãos – grunhiu Korg, ainda ajoelhado no solo, prestes a levar outro golpe. – Não posso...

– Você vai, sim – disse Hulk, agarrando Korg pelo braço.

Hulk girou o homem de pedra no ar como um imenso tacape e o brandiu contra a coisa que fora Margus, mas explodira numa bola de fogo quando a fornalha viva nas profundezas de seu peito se rompeu.

– Achei mesmo que você seria duro o bastante – disse Hulk.

Korg agachou no chão, atordoado, e ficou juntando os fragmentos de pedra do irmão destruído. E murmurou numa voz rouca e crepitante:

– Senhor, eu sou sua rocha. Perdoe-me e proteja-me...

Os outros homens de pedra de olhos de zumbi avançaram contra eles. Korg ficou de pé. Hulk parou ao lado dele.

– Certo – disse. – Você quebra. Eu esmago.

••••

Sobre um morro acima da Boca, o quinto prefeito da Insurgência Democrática Sakaariana espiava por um instrumento o caos que se desenrolava na beirada do fosso de lava.

– É ele mesmo – murmurou para o batedor ao lado.

– O que acha? – perguntou este.

– Sinceramente?

Estavam escondidos atrás de uma rocha a certa distância de Hulk. Contudo, o quinto prefeito sentia o solo tremer toda vez que o monstro verde aplicava um golpe. Ampliando a imagem do rosto de Hulk bem no meio de um rosnado, todos os pesadelos que o homem tivera quando criança pareceram reunir-se em sua barriga.

– Estou morto de medo.

••••

Primus Vand cruzou o arsenal da Boca, berrando e chutando as cadeiras, derrubando os ferreiros que cochilavam. Trabalhadores em pânico correram, atrapalhados, para suas fornalhas, enquanto o homem gritava, as veias estourando no pescoço.

– Ele vai matar todos nós, não vai? – sussurrou um fundidor-assistente aterrorizado. – Nós vamos morrer.

– Na verdade – disse o fundidor-chefe, lançando carvão para dentro da fornalha, olhando de esguelha para Primus. – Nunca o vi mais contente.

– Sete conjuntos de armadura! – rugiu Primus, dando um tapinha no topo da cabeça do fundidor-assistente. – E da liga de prata boa, rapazes, não a imitação de pedra-sombra! Polida e lustrada! E metam umas penas malditas no topo!

O fundidor-chefe riu-se.

– Finalmente encontrou algo que vale a pena exibir, senhor?

Primus fitou o velho, depois lhe deu tapas no ombro e rugiu de tanto rir. O fundidor-assistente ficou só olhando, incrédulo, e logo baixou a cabeça e tornou a jogar pás de carvão na enraivecida fornalha.

• • • •

Os guerreiros permaneceram em silêncio, na areia, enquanto os armeiros se reuniram em torno deles, acoplaram a armadura reluzente, ainda quente, em seus braços e pernas, e lhes presentearam com espadas e machados forjados havia pouco. Escravos e guardas deram uma pausa em seus exercícios para olhar para Hulk e sua equipe com uma mistura esquisita de medo e inveja. Miek estava muito orgulhoso, alisando e passando a garra no novo elmo de prata. Mas logo ficou intrigado, vendo as plumas que brotavam dos elmos de outros guerreiros.

– Por que Miek não ganhando penas? – perguntou.

– As penas são para os de pele macia – sibilou o membro da Ninhada, dando um tapinha no próprio elmo, também pelado.

Miek soltou um riso cheio de cliques, e o outro insetívoro bateu suas mandíbulas internas, achando muita graça.

– Calem-se e prestem atenção – ralhou Primus.

O homem os observava do alto de seu disquinho flutuante. Todos olharam de volta, imobilizados por seus discos de obediência. Contudo, dava para ver o ódio ardendo nos olhos de todos. E os cantos dos lábios dele ergueram-se no mais suave dos sorrisos. Ele sentiu um calor fervilhante no peito, uma sensação estranha que não tinha fazia anos.

Orgulho.

– Agora, vocês são *gladiadores*. Façam bom proveito.

• • • •

Marcharam para um grande disco flutuante que se ergueu no céu e voou por sobre as planícies devastadas na direção do sol poente. Korg estava na beirada do disco, com o sol batendo nas costas, reclinado sobre o corrimão, murmurando baixinho uma oração repetidamente. Lavin Skee aproximou-se dele lentamente.

– Korg... eles teriam matado todos nós. O Pele-Verde fez o que tinha de ser feito. Você também.

Korg estendeu a mão e soltou pequenos fragmentos do corpo amarelo do irmão, agora em migalhas, para que se espalhassem sobre as planícies debaixo do transporte voador.

– De rocha para pedra, de pedra para areia. Encontre-o e cuide dele, ó Senhor.

Do outro lado da plataforma flutuante, Miek estava ao lado de Hulk.

– Todo o seu povo sendo tão forte quanto você, Duas-Mãos?

– Não tenho povo nenhum.

– No seu mundo? Ninguém mais igual a você?

– Não. Apenas humanos fracotes. Como *Banner*.

– Banner?

Hulk envolveu o anteparo com as mãos. Sentiu o metal dobrar-se lentamente dentro de seus punhos. *Banner*. Não pensava nele fazia um tempo. Se Banner não tivesse sido tão *burro*, Hulk não estaria ali agora. Era assim que funcionava, toda vez. Banner se metia em apuros, fugia e deixava Hulk levar a culpa.

– Quem é Banner? – clicou Miek.

– Você nunca verá o rosto dele – disse Hulk. – Ele não duraria um minuto neste planeta. Ele é mais fraco até que *você*.

– Há! Mais fraco que o Miek? Gostaria de vendo isso!

O membro da Ninhada soltou um assovio.

– Talvez não. Os humanos não são assim fracos como ele diz que são.

Hulk ergueu uma sobrancelha, encarando a insetívora.

– Já devorei alguns – disse ela. – Individualmente, admito, são praticamente indefesos. Mas com suas máquinas e seus heróis, podem superar desafios consideráveis.

– As máquinas e os heróis não os salvarão – disse Hulk.

O corrimão dentro dos seus punhos rangeu e foi retorcido.

– De quê? – perguntou Miek.

Hulk apenas continuou observando o horizonte, com um olhar perdido e um sorriso discreto e cruel animando seus lábios. Sentindo o vento no rosto, o peso confortável da espada na lateral do corpo, a armadura agora fresca descansando pesada e firme em seus ombros e braços.

Viu a bola azul-esverdeada, macia e úmida, que era o planeta Terra pairando no espaço. Viu-se gritando sem fazer som, erguendo sua poderosa espada, mergulhando estratosfera abaixo, ardendo em chamas. Viu Reed Richards, Tony Stark e todos os outros humanos burros e fracotes erguendo o rosto para olhar para ele, pálidos de horror...

– Ei! – berrou Elloe. – Um Cruzador Imperial da Alegria!

Hulk virou-se e viu uma imensa aeronave com forma de barco flutuando em meio às nuvens rosadas. Imperiais esbeltos vestindo seda e joias apinhavam-se por todo o deque, bebericando drinques de finas taças de cristal, ovacionando e acenando para os gladiadores.

– Aqueles um dia já foram o nosso povo – murmurou Lavin. – Agora, vêm ver o nosso sangue.

– Ou o *deles* – disse o membro da Ninhada, apontando para um grupo de imperiais maltrapilhos fugindo do disco flutuante, que descia para os campos dourados abaixo.

– Não. Não, não, *não* – sussurrou Elloe. – São apenas *fazendeiros*.

Elloe virou-se para os demais, ajustando o corpo para bloquear o espaço no corrimão que servia como saída do disco flutuante.

– Nós não vamos. *Não vamos matar* aquelas pessoas!

– Faremos o que nossos discos de controle nos forçarem a fazer – disse Korg, de olhos fixos na borda da mata. – Mas temos problemas piores do que seus fazendeiros.

Um guincho intenso e penetrante de metal raspando e engrenagens rangendo rasgou o ar, árvores foram derrubadas e os fazendeiros começaram a gritar.

– *Semana passada, o feroz gladiador verde foi ferido pela primeira vez pelo imperador em pessoa!* – berrou um apresentador no microfone do Cruzador da Alegria. – *Agora, após um período na Boca, vejamos como ele se sai contra o bando mais letal, direto das planícies de Chaleen, de robôs selvagens!*

O disco flutuante sobrevoou de raspão o campo de grama alaranjada enquanto meia dúzia de enormes robôs explodiu do meio da floresta. Cada robô era um conglomerado maciço de membros, lâminas, armas, armaduras e esteiras coletados de diversas outras máquinas. O maior deles, uma monstruosidade de seis metros de altura coberta de ferrugem e musgo, rugiu por cada uma de suas três bocas, botando os fazendeiros para berrar e fugir.

— *Esse bando específico é liderado por um robô gigante que os locais chamam de "Esmagador de Ovos", por sua predileção por destruir ovos de nativos* — anunciou o apresentador. — *Mas não são somente os nativos que ele escolhe: pela última contagem, ele já matou quarenta e três fazendeiros e dois esquadrões de soldados imperiais. E hoje talvez acrescente sete gladiadores à lista!*

Elloe saltou do disco, brandindo a espada para derrubar um robô selvagem muito barulhento, do tamanho de um gato, antes que ele metesse as lâminas num fazendeiro caído.

— Anda! — berrou ela aos demais. — Temos que acabar com eles!

Lavin Skee e o guerreiro das sombras sacaram suas espadas e pularam para juntar-se a Elloe. Hulk deu um passo à frente, avaliando o Esmagador de Ovos, mas, antes que pudesse atacar, Korg adiantou-se e o segurou pela beirada do seu protetor de ombro cheio de espinhos.

— Ei... — rosnou Hulk.

— Só quero retribuir o favor — disse Korg.

O homem de pedra sorriu, depois soltou um grunhido quando girou feito um lançador de discos e arremessou Hulk para o ar, bem na direção da bocarra escancarada do Esmagador.

— *Pelos joelhos do Profeta! O Esmagador de Ovos... o Esmagador foi destruído! Num único golpe... um único golpe! O Cicatriz Verde arrancou a cabeça dele! Essa vai entrar para o livro dos recordes, pessoal! Três segundos para derrubar um robô selvagem que as forças imperiais vêm caçando faz três anos!*

Hulk abriu um sorriso, em pé em cima do ombro do Esmagador de Ovos, e brandiu o machado para decepar as duas cabeças restantes do robô. Depois meteu o escudo numa rachadura na armadura do robô, abriu-o como um molusco e o rasgou ao meio. Um fogaréu de energia azul estourou quando as baterias do Esmagador se romperam. As duas metades de seu corpo gigantesco feito um tanque tombaram com um trovejar no solo e explodiram. Hulk rugiu, imerso em chamas, e os oligarcas no deque do Cruzador da Alegria berraram e ovacionaram.

– *O Cicatriz Verde, senhoras e senhores! O Cicatriz Verde! E agora o resto de seu perdido bando de gladiadores avança para obter um pouquinho de ação contra o bando do Esmagador. Chamem seus amigos, chamem seus inimigos... Todo mundo no planeta vai querer assistir!*

. . . .

Sob um sol que se punha detrás do horizonte, nativos contentes e fazendeiros imperiais fuçavam os destroços dos robôs selvagens aniquilados. Em qualquer outra noite, os nativos e imperiais deste vale teriam brigado por qualquer pedaço de metal ou maquinário encontrado que desse para recuperar. Nessa noite, porém, havia bastante para todos. Pela primeira vez em meses, as duas comunidades dormiriam em paz, sabendo que suas colmeias e vilas seriam logo munidas do tipo de riqueza que ninguém jamais vira desde o reinado de Angmo, o Grande. Eles riam e sacudiam a cabeça, maravilhados com esse tal "Cicatriz Verde", e ovacionavam e acenavam para o Cruzador da Alegria, que deslizava para fora do vale.

No salão principal do Cruzador da Alegria, os gladiadores ocupavam os lugares de honra, atacando a caça assada fumegante que jazia no centro da mesa do capitão. Somente Korg recusara a carne, e jantava um balde de carvão que requisitara da cozinha. O capitão apresentara um discurso, entoando elogios aos gladiadores. Os convidados imperiais divertiam-se, com um brilho nos olhos, mas nenhum tivera bravura suficiente para chegar perto um metro que fosse dos guerreiros.

– Ridículo – disse Elloe, servindo uma segunda bela porção de carne em seu prato. – É responsabilidade do imperador lidar com os robôs selvagens, e ele está usando gladiadores para dar conta do recado.

– Conversando demais, comendo de menos – disse Miek, arrancando mais uma perna da carcaça.

– Mas, falando sério, para que serve o exército? – Elloe voltou-se para Skee. – O que ele tem feito com o dinheiro que anda coletando?

Porém, Skee prestava atenção a um garçom que acenava para uma sorridente dupla de duquesas imperiais, olhando para ele com embaraço, escondida atrás das cortinas de seda de uma passagem.

– Você foi escolhido – murmurou o garçom.

– Bem – disse Skee.

– Bem, de fato – disse Elloe.

Skee enrubesceu, ficando ainda mais avermelhado do que já era.

– Eu... hã... talvez consiga mandar recado para os aliados do seu pai...

– Ah, pode ir – disse Elloe.

Enquanto Skee deixava a câmara, Hulk avistou um par de olhos verdes e pretos espiando-o de um corredor escuro. Caiera, a Fortaleza, acenou para ele.

– Cuidado, Pele-Verde – disse Korg.

Contudo, Hulk apenas ergueu uma sobrancelha, levantou-se da mesa e seguiu a guerreira das sombras para fora do salão.

Caiera e Hulk caminharam lado a lado por um rico corredor ornado a ouro. Cortinas de veludo vermelho penduradas nos arcos de outros cômodos, de ambos os lados, mal conseguiam abafar os risinhos e os gemidos dos amantes ali escondidos. Hulk olhou para Caiera.

– Você não usa um cajado de obediência.

Ela o olhou também.

– Eu não preciso.

Caiera atravessou cortinas vermelhas, adentrando um cômodo pouco iluminado. Hulk a seguiu, e logo viu a grande cama redonda atrás dela. Contudo, Caiera girou e atacou, encostando uma faca na garganta dele. Hulk a segurou pelo braço um segundo antes de a lâmina tocar-lhe o pescoço.

– Vai tentar me matar toda vez que nos encontrarmos?

– Eu sou a guarda-costas do imperador. Preciso conhecer os inimigos dele. Você está ficando mais rápido.

– E mais forte.

– Talvez. Mas ainda posso cortar sua cabeça fora.

– E eu a rasgaria ao meio antes que ela caísse no chão.

Os dois ficaram se encarando. Cada um podia sentir a força nos tendões do outro. Cada um sabia que ninguém ali estava blefando. Caiera recuou e embainhou a faca.

– O que você quer? – Hulk perguntou.

– Você está prestes a ficar famoso. E isso é um problema para o imperador. Então vim aqui fazer uma oferta.

Caiera foi até uma grande janela oval na parede e apontou para as planícies.

– Eu o levarei para as estepes. Um local pacífico. Você nunca mais terá que lutar.

– Já ouvi essa história antes – disse Hulk. Ele viu o rosto idiota de Reed no monitor da aeronave e sentiu a boa e velha raiva ardendo debaixo da pele. – Não, obrigado.

– Pense bem, Cicatriz Verde – disse Caiera. – Você será sempre um monstro para eles.

Hulk afastou as cortinas e saiu do cômodo, assustando um bando de duquesas. Elas soltaram exclamações e recuaram, olhando para ele com muito medo, depois caíram num riso histérico quando ele passou por elas e seguiu de volta para o salão do banquete.

. . . .

O imperador repousava em sua sala de estar favorita, no topo da torre imperial, no centro da Cidade da Coroa. Escutava as notícias do dia, lidas por intermédio de um disco de dados pelo ex-governador Denbo, que realizara seu ridiculamente ambicioso sonho e agora vestia os robes alvos de um conselheiro imperial.

O conselheiro Denbo falava com voz firme, mas seus dedos tremiam ao percorrer a tela do disco de dados. Vinha mantendo o posto fazia já uma semana, mas ainda sentia o sangue correr gelado de medo sempre que ficava completamente sozinho com o Rei Vermelho.

– ... e o representante da comunidade Kaifi continua a protestar contra o aumento da tributação... – disse ele.

– Mate-o – ordenou o imperador.

— Oh, espere — alertou o conselheiro, vendo o disco de dados piscar. — Chegou uma nota de atualização. Já o matamos.

— Ah. Que seja feita a minha vontade.

O conselheiro Denbo considerou soltar uma gargalhada bem audível, mas não confiou que o faria de modo convincente, dado o martelar de seu coração. Contentou-se com um sorriso curto e um aceno, e retomou a leitura.

— Agora, quanto à questão do robô selvagem... — disse Denbo. — As equipes de gladiadores têm feito certo progresso, mas outras três colmeias foram assoladas...

— São apenas *insetos*, conselheiro — interrompeu o imperador. — Quero falar sobre a *guerra*. Os fillianos estão *rindo* de nós. Talvez tenha chegado a hora de usar os *espetos*.

Denbo sentiu um afundar no estômago.

— Os... os espetos, milorde?

A voz de Caiera, a Fortaleza, crepitou do monitor de comunicação do imperador.

— Sua graça. Um momento.

O imperador virou-se, inclinando-se para a imagem de Caiera na tela.

— Tenha quantos quiser, minha querida.

— Hulk está vivo.

— Hulk? Quem é esse?

— O *Pele-Verde*, sua graça. O que lhe deixou uma marca.

O imperador virou-se para Denbo, cuja pele pendera para um rosa escuro. Como os dedos puseram-se a tremer, descontrolados, ele os escondeu debaixo do robe.

— Ele foi para a Boca, acredito — disse o imperador, passando o dedo pela cicatriz que tinha na bochecha.

— E sobreviveu — disse Caiera. — E agora a equipe dele triunfou sobre uma tribo de robôs selvagens nas planícies de Chaleen.

— Bom, ótimo — Denbo interrompeu. O imperador voltou-se para ele com cara de espanto. Denbo forçou um sorriso débil, o coração martelando, chocado com a própria ousadia. — É como o sistema deve funcionar.

Até mesmo um escravo tem chance. O povo saberá que seu imperador é *justo*. É uma *prova* disso.

O imperador sorriu, mas olhou desconfiado para seu novo conselheiro.

– Interessante, interessante – murmurou, apreciando o comentário.

– Sua graça, o povo está fofocando... – disse Caiera.

– Você está começando a me incomodar, minha querida – retrucou o imperador. – Que diferença pode fazer um escravo?

Denbo lutou para conter o sorriso leviano que ameaçou espalhar-se em seus lábios. O imperador realmente lhe dera ouvidos, e agora censurava sua própria sombra! Denbo estudou a expressão teimosa de Caiera no monitor e sentiu o coração inundar-se de alegria ao reparar que ela estava apenas começando. Quanto mais irritasse o imperador, mais a estrela de Denbo alçaria voo. Ele mal podia esperar para ouvir o que ela diria em seguida.

Contudo, quando Caiera abriu a boca para falar, uma grande bola de fogo estourou atrás dela, e o monitor apagou.

O imperador virou-se para o conselheiro com cara de surpresa.

– A sombra parece estar em apuros – murmurou Denbo, judiciosamente.

O imperador bufou e concordou, e o coração de Denbo deu um pulo de alegria.

• • • •

A missão proposta pelo quinto prefeito fora rejeitada por todos os outros sete prefeitos. O terceiro prefeito chegara a puxá-lo de lado, após a reunião, para pedir que lhe garantisse pessoalmente que acataria a decisão deles. O quinto deu, então, um chilique, praguejando quanto à visão limitada dos demais, mas se permitiu ser acalmado pelo terceiro prefeito, para que aceitasse a decisão do grupo.

Mas assim que deixou a Caverna dos Suspiros, o quinto chamou seus dez melhores soldados e disse-lhes que chegara a hora.

Em sua primeira vida, o quinto prefeito fora um guarda – um membro da guarnição da Cidade da Coroa, jurado a proteger as vidas e a propriedade dos cidadãos. Seu pai e seu avô, antes dele, foram guardas; o pai chegara a morrer em serviço, salvando a família de uma casa em chamas, no último ano do reinado de Angmo. Por isso, desde que se entendia por gente, o quinto prefeito sentira-se destinado a servir. Porém, o Rei Vermelho expulsara os guardas, trocando seus líderes por seus soldados pessoais, jurados a proteger a ele e somente a ele. Quando a unidade do quinto foi ordenada a executar um grupo de artistas que supostamente zombara do imperador durante um teatro de fantoches para crianças, ele baixou a arma e foi embora. Quando o imperador descobriu, mandou executar toda a unidade do quinto prefeito.

E foi assim que o quinto prefeito flagrou-se liderando sua equipe de insurgentes por dentro de um buraco fumacento na lateral do Cruzador da Alegria, no primeiro ataque do que futuramente seria conhecido como a Guerra do Cicatriz Verde.

– *Cicatriz Verde*! – gritou ele. – Nós somos a insurgência democrática sakaariana! Nós lutamos pelos exilados, os escravos, os descartados, os desprezados! Nós lutamos por *você*!

Hulk e os outros gladiadores, ainda comendo sentados à mesa do capitão, olharam em choque.

– *Você lutará por nós*?

Guardas imperiais avançaram pelo salão, erguendo suas lanças brilhantes. Elloe deu um salto para a frente e meteu-se contra os guardas pela lateral, derrubando-os no chão.

– Anda, Hulk! – berrou ela. – Agora vamos lutar *de verdade*!

Mas Hulk apenas olhou para ela, sem se mexer em sua cadeira.

Um trio de robôs cabeças da morte entrou com tudo no salão, tirando os guardas do caminho. Eles sobrepujaram os rebeldes em segundos, metendo-os no chão com uma força de rachar os ossos.

– Hulk, nós... nós temos que ajudar! – gritou Elloe.

– Faça como quiser – disse Hulk, voltando-se para a mesa. – Eu vou terminar de jantar.

– Qual é o seu problema? – gritou Elloe. – Os rebeldes são os únicos que tentam consertar este mundo desigual! Eles *precisam* de nós!

– Rosinhas fracotes – grunhiu Hulk. – Como os humanos fracotes. Primeiro nos chamam de monstros. Depois vêm chorando pedir ajuda. E depois nos chamam de monstros de novo.

Um cabeça da morte pegou Elloe pelo cotovelo. Miek berrou. Hulk finalmente virou-se e levantou.

– Ela está com a gente – disse.

– Não, não estou – disse Elloe.

Os guardas cabeças da morte içaram os rebeldes do chão, ensanguentados e feridos, e os arrastaram pelo corredor, junto com Elloe. Apesar dos empurrões duros dos guardas, Elloe ficou de pé e não se curvou em momento algum.

E não olhou para trás uma vez sequer.

3

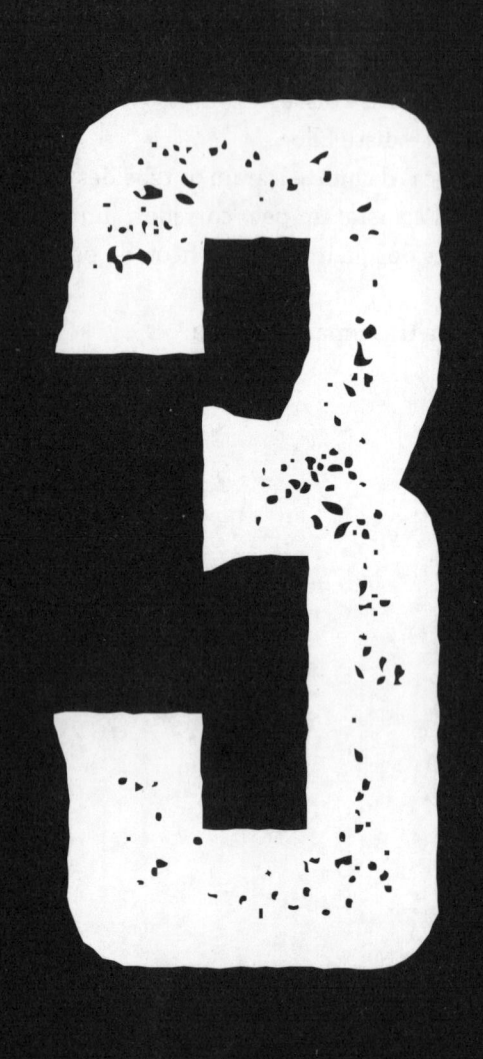

UMA HORA DEPOIS, Hulk e os outros gladiadores estavam no deque de observação do Cruzador da Alegria, vendo couraçados imperiais bombardeando uma cidadezinha no horizonte até destruí-la por completo. Uma plateia de oligarcas nos deques inferiores soltava exclamações, apreciando as explosões mais espetaculares.

– Quem estão bombardeando? – perguntou Miek.

– Cidade pesqueira. Cor-Anan – respondeu um entediado guarda. – Retribuição pelo ataque dos rebeldes.

– Maluquice – murmurou outro guarda, inconformado. – Aqueles rebeldes tinham sotaque urbano. Vieram da Cidade da Coroa.

O primeiro guarda deu de ombros.

– Cor-Anan fica mais perto.

Hulk soltou um resmungo. Os guardas olharam para ele com receio, apertando as lanças nas mãos. Ele os encarou por um momento, depois sacudiu a cabeça e voltou sua atenção para as chamas que se avolumavam no horizonte.

– Elloe estava sob meus cuidados – disse Lavin, angustiado, a cabeça nas mãos. – Não devia tê-la deixado sozinha.

– Não havia nada que você pudesse ter feito – disse Korg. – Foi uma decisão dela.

– E ela foi a única que tomou a decisão *certa* – Lavin retrucou. – Vocês são forasteiros; talvez não se importem. Mas trinta mil cidadãos desapareceram desde que o imperador tomou o trono. Sumiram sem deixar rastro. E isso não inclui as centenas de milhares de escravos e soldados estrangeiros que morreram nas malditas guerras dele.

Lavin acenou para as chamas no horizonte.

– Nada disso é novo, sabe? Eu fui da guarda imperial. Lutei nas guerras que assolaram este mundo... guerras que destruíram cidades como aquela, por todo o continente. Aqueles rebeldes teriam me matado sem hesitar se eu estivesse naquele salão. Mas, se eu achasse que poderia ajudá-los, teria cortado fora meu braço direito...

– Tá bem, meu jovem. Chega de bobagem por hoje.

Primus Vand apareceu no corredor, portando seu brilhante cajado de obediência. Mas não tocou o painel. Em vez disso, ficou olhando para o grupo calado, com respeito.

– Sua luta contra os robôs selvagens apareceu no horário nobre. Chamou a atenção da Liga Imperial. Então tentem dormir um pouco. Amanhã o dia será de vocês.

. . . .

No dia seguinte, sob a luz do sol que se baixava atrás do horizonte, o Cruzador da Alegria sobrevoou as torres da Cidade da Coroa e desceu para a Grande Arena. As duquesas e os oligarcas nos deques superiores do cruzador sorriram e acenaram para a plateia da arena, que ovacionou em grande algazarra, espalhando ondas ensurdecedoras de barulho. Primus Vand clicou seu cajado de obediência, e os gladiadores saltaram de uma escotilha na barriga do cruzador para as areias abaixo. A plateia pôs-se a gritar mais alto ainda. Os gladiadores abriram espaço entre si, na areia, preparando-se para o que poderia vir em seguida. O Cruzador da Alegria alçou voo, distanciando-se, e a voz do apresentador da arena preencheu o ar.

– *Bem-vindos aos Grandes Jogos, cidadãos e oligarcas! Estrelando os melhores gladiadores do mundo, competindo pelo melhor prêmio do planeta! Qualquer escravo que sobreviver a três rodadas se tornará um cidadão. Sim... um cidadão do império, com todos os direitos e responsabilidades que isso traz! E, provavelmente, devo acrescentar, um lucrativo contrato de publicidade com um dos melhores fabricantes de espadas e escudos.*

– Então é isso – disse Korg. – Três rodadas, e estamos livres.

– Acredita mesmo nisso? – perguntou Lavin.

– Milhares de pessoas estão assistindo – disse Korg. – Até mesmo esse seu imperador hesitaria em não cumprir com o prometido perante uma plateia desse tamanho.

Um rugido alto de motores espalhou-se pelo ar. Os gladiadores olharam para cima, chocados.

– O que me diz agora? – murmurou Lavin.

Uma imensa espaçonave blindada pairava acima da arena. Fazia do Cruzador da Alegria um ínfimo anão, que flutuou para o lado. O apresentador olhou para cima, também chocado, e os gritos de alegria da plateia derreteram para um ressoar grave de murmúrios receosos.

– *Aquele... aquele é um couraçado imperial bem acima de nós* – disse o apresentador. – *Se me lembro bem, essa nave acabou de entrar em ação na guerra do imperador, bombardeando bárbaros fillianos...*

A escotilha na barriga do couraçado rangeu e abriu-se.

– *Pelo santo Profeta...* – sussurrou o apresentador.

A plateia pôs-se a gritar quando uma bomba gigantesca desprendeu-se da nave, saindo pela escotilha.

– Proteja os outros – grunhiu Hulk.

– Espere, Pele-Verde! – berrou Korg. – Aquilo é demais... nem mesmo você pode...

Mas Hulk já estava saltando para o alto, na direção da bomba que caía.

Claro que posso, pensou ele. *Eu sou o Hulk.*

Lá embaixo, o homem de pedra acocorou-se, abrindo os braços por cima do membro da Ninhada, que se enrolou em torno de Miek.

– Que o Senhor nos perdoe de nossas rachaduras – disse Korg.

E então tudo virou fogo. As chamas explodiram para o alto, envolvendo todo o campo de batalha, avançando para o setor sem cadeiras, o primeiro nível da arquibancada, incinerando 32 escravos num instante. Os outros expectadores berraram, aterrorizados, quando a onda de calor intenso derramou-se sobre eles.

– *Inac-inacreditável! Aquela foi uma bomba de precisão mortal, detonada bem no meio da Grande Arena, no centro da Cidade da Coroa, contra gladiadores armados apenas com espadas e escudos! Isso é uma violação* grosseira *das regras. Eu nunca... nunca vi...*

Um guarda arrancou o microfone das mãos do apresentador e o arrastou dali. Primus Vand passou pelos dois e foi ter com o conselheiro de jogos, que estava na beirada do camarote do imperador, agora vazio.

– Eu coloquei centenas de quadrados de prata nessa equipe! – gritou ele. – Você não pode mudar as regras assim e matá-los como malditas *medusas aéreas*!

– Jogo do imperador, regras do imperador, Primus – disse o conselheiro de jogos.
– Não venha com essa! Eu exijo...
– Ninguém exige nada do Rei Vermelho e vive para contar a história. Agora fique esperto com seu cajado de obediência. Não queremos que seus escravos fujam do controle.

Primus ficou encarando o conselheiro, boquiaberto. Imaginou-se brandindo o cajado, esmagando o crânio do conselheiro, depois eviscerando os dois guardas dele com a faca que trazia escondida na bota. Matara 213 homens e monstros nas arenas, mais 7 na sua época. Sabia que daria conta desses três em segundos. Mas então os seis guardas da arquibancada atirariam, e seria o fim de tudo. Ele lutou para controlar o rosto, respirou fundo e soltou o ar devagar.

– Não são escravos – disse, baixinho. – São gladiadores.

Primus deu as costas para o conselheiro e caminhou para o corrimão, para ver seus campeões morrerem.

••••

Fumaça e cinzas cobriram a arena. Korg cambaleou para ficar de pé. Miek e o membro da Ninhada desenrolaram-se do buraco na areia, debaixo do homem de pedra, e libertaram-se. O guerreiro das sombras jazia sobre Lavin Skee, que gemia de dor. Seu braço não passava de um toco mastigado e chamuscado.

O sibilar e o tinir de pernas pneumáticas encheram o ar. Korg virou-se e viu um pelotão de robôs de armadura preta avançando contra eles, os olhos vermelhos brilhando por detrás da fumaça.

– Cabeças da morte... com canhões de laser... – Lavin grunhiu, agarrado ao toco do braço, recuando para enxergar melhor. – Agora... agora é o fim.

– Quietos – murmurou a sombra. – Sou um padre saka. Façamos uma oração.

– Não – disse Lavin. – Vamos pegar na espada.

O sacerdote saka olhou adiante e abriu um sorriso. Meteu uma espada na mão ensanguentada de Lavin e o ajudou a se levantar. Os gladiadores esconderam-se atrás de seus escudos, apertando os olhos para enxergar, em meio à fumaça, os robôs que se aproximavam. Lavin murmurou instruções entre espasmos e tremeliques.

– Cabeças da morte. As tropas que mataram os espetos. Nossos escudos nos defenderão por uns dois segundos no máximo. Fiquem atrás do Korg até chegarmos perto o bastante. A armadura deles é mais vulnerável em torno das juntas. Acertar na garganta seria o melhor. Acertem... Não terão segunda chance se errarem. Que o Profeta perdoe e abrace a nós todos.

Os cabeças da morte abriram fogo. Os gladiadores rugiram e avançaram. Os disparos dos canhões de laser estilhaçaram os escudos dos guerreiros e derreteram suas armaduras. Ouvindo gritos perfurando o ar, Korg sentiu o jorro do sangue de alguém espirrando em seu rosto. Lavin tinha razão. Era mesmo o fim.

Mas então o solo chacoalhou, e os guardas cabeças da morte giraram em pleno ataque, virando-se para olhar para trás. Hulk, chamuscado e fumegando, explodiu da neblina, agarrou o robô mais próximo e o rasgou em pedaços como se fosse feito de folhas secas e barbante. Os guardas ergueram seus canhões ao mesmo tempo, mirando em Hulk. Ele, porém, avançou contra eles com rapidez chocante, destruindo armas e antebraços antes que pudessem atirar. Os guardas convergiram sobre Hulk, fincando-o com espetos e lanças, mas era tarde demais. Esse não era o Hulk abobalhado e fraco que tombara da lixeira debaixo do Grande Portal.

Esse era o Cicatriz Verde.

Caiera, a Fortaleza, atrás do trono desocupado do camarote do imperador, o rosto pálido de choque, viu quando Hulk envergou-se para trás. Ele rugiu sobre os corpos derrubados dos guardas cabeças da morte, e os dez mil cidadãos e oligarcas nas arquibancadas da Grande Arena rugiram de volta.

4

OS GLADIADORES ESTAVAM SENTADOS numa cela escura, debaixo da arena. Restavam apenas cinco deles, agora: Hulk, Korg, Miek, Sem-Nome, o membro da Ninhada, e o soturno guerreiro das sombras. O cadáver de Lavin Skee jazia à frente deles, envolto em farrapos sujos de sangue.

– Tendo apenas o braço esquerdo, ele ergueu a espada – murmurou a sombra. – Nós o entregamos a você, ó Profeta. Perdoe-o e receba-o.

– Perdoando e *clic* recebendo ele – ecoou Miek.

A cidade acima cantarolava os nomes deles. Cidadãos, escravos e oligarcas, todos recontavam as batalhas e riam e não acreditavam e debatiam e celebravam. A caixa-vídeo passava entrevistas com os fazendeiros e nativos que os viram destruir os robôs selvagens no dia anterior. Os chefes da jogatina corriam atualizar suas colocações e chances, doidos de empolgação e receio ao ver as apostas disparando. Mas não havia mesa de capitão para os gladiadores nessa noite. Nada de jantar de celebração nem encontros com duquesas. Tinham sido marcados, e sabiam disso, por isso estavam ali sentados em silêncio, no escuro, olhando para o corpo de Lavin.

– Amanhã *clic* nós morrendo também, né? – disse Miek.

– Se chegar a nossa hora – retrucou Korg.

Hulk bufou. Miek virou-se para ele, na expectativa, mas Hulk apenas olhava para o vazio, taciturno e calado. Sem-Nome enrolou-se e desenrolou-se, e soltou um silvo de escárnio.

– Abra seus ouvidos, insetinho – disse a Miek. – Você viu muito hoje. Mas eu já vi muito pior... e vivi para contar a história.

Os lábios da criatura se retraíram, mostrando grandes e terríveis presas. Mas então ela bateu as asas, e o ar foi tomado por um novo odor, pesado, cálido e cheio de esperança. Os gladiadores ficaram olhando para ela, e Miek clicou e sorriu quando ela começou a contar sua história.

• • • •

– Minhas irmãs e eu éramos os melhores soldados do nosso mundo. "Primeiras guerreiras" era como nos chamavam. Quando invasores chegaram ao nosso mundo... humanos fracotes, mas perigosos, com estranhos poderes mutantes... a Rainha nos mandou atrás deles, nas profundezas das catacumbas abaixo da Cidade do Trono. Mas, naqueles túneis retorcidos, viviam criaturas mais aterrorizantes do que qualquer mutante ou membro da Ninhada. Monstros enormes, com presas cem vezes mais compridas que as minhas. Minhas irmãs e eu fomos todas engolidas. Começamos a morrer lentamente, terrivelmente, digeridas vivas. Mas as catacumbas detinham ameaça ainda pior. Uma presença. Uma chama. Uma *luz*. E vocês sabem como a Ninhada odeia a luz. Não sei dizer como era... ninguém que viu sobreviveu para descrever. As supersticiosas diziam que era a alma vingadora de um inimigo havia muito defendido. Se um membro da Ninhada aparecesse em sua presença, a luz a julgaria, chamaria de monstro e queimaria, transformando em cristal. Dentro da barriga da fera que nos engolira, ardendo em seus fluidos digestivos, ouvimos trovejares, grandes rachaduras e movimentos. A alma tinha se libertado e julgava tudo que tocava. Ela matou o meu mundo inteiro. Mas minhas irmãs e eu sobrevivemos, seguras dentro do monstro que nos engolira... agora um recipiente de cristal no qual viajamos para este novo mundo. Então escapei da ira de um vingativo *fantasma*. Como um simples *rei* poderá me fazer ter medo?

••••

Miek cacarejava, balançando apoiado nas pernas traseiras, e meteu um soco no ombro de Korg.
– O que você dizendo *agora*, Korg? – clicou ele.
Korg sorriu. O insetinho era tão diminuto, tão vulnerável. E, no entanto, sobrevivera até ali, não? Sim, o imperador queria vê-los mortos. O que significava que sua morte era quase certa. Mas deviam ter morrido nesse dia. E no dia anterior. E no dia antes deste...
A fornalha dentro do coração de Korg trovejou, e seus olhos emitiram um brilho cálido.
– Querem ouvir uma história *de verdade*? – disse.

••••

– Meus irmãos e eu tínhamos voado para um planetinha estranho e verde como o próprio Cicatriz Verde. Eu era um tijolo jovem... forte e bagunceiro, pronto para conquistar... então ataquei a primeira coisa que vi se mover. Mas a coisa apenas pendeu para trás e murchou. Mais tarde, descobri que a chamavam de "árvore". Quando vimos o primeiro nativo senciente, meu irmão Margus gritou que não o matássemos, que ele devia ser capturado e estudado. A criatura era baixinha, e sua pele parecia macia como geleia. Usava um chapéu idiota com umas asinhas em cima do cabelo loiro espesso. Mas ele brandiu seu martelinho... e arrancou lascas da pedra que é a nossa pele! Ele rompeu as barras da nossa jaula mais forte e esmagou nosso robô de batalha como se fosse feito de vidro! Então fugimos, muito envergonhados, como pedrinhas recém-cortadas. Como poderíamos conquistar um planeta de criaturas como aquela? Mas, se tivéssemos ficado um pouco mais, teríamos descoberto a verdade. Não havia ninguém como ele. De fato, ele era um deus vivo, o deus do trovão. Então enfrentamos o próprio céu! E tudo o que isso me custou foram umas lasquinhas de pedra! Por que deveria me preocupar com o que um mero *imperador* lançar contra mim?

• • • •

Miek riu-se, deu cambalhotas e tamborilou nos ombros de Korg, todo contente. Sem-Nome clicou suas mandíbulas internas, rindo também. Até os lábios do padre das sombras curvaram-se com o mais discreto dos sorrisos.

Miek dançou perante Hulk, que permanecia sentado, o rosto pétreo, no escuro.

– Certo, Duas-Mãos! Sua vez, agora!

• • • •

– Tá bem. Eu já falei dos humanos fracotes. Não importava o que eu fizesse, não importava o quanto eu os ajudasse, eles me odiavam. Porque eu sou o *mais forte*. E eles são *fracos*. E o mais fraco de todos? O que mais me odeia? *Banner*. O problema é que Banner é um cara *esperto*. Um dos mais espertos. Ele arranjou um jeito de me empacotar por anos e anos. E começou a trabalhar para criar coisas ainda mais fortes do que eu. Um dia, terminou uma bomba. A pior bomba já criada, mil vezes mais poderosa do que essa bombinha idiota do imperador. Capaz de assolar uma cidade. Se construída do tamanho certo, poderia destruir o mundo todo. E o que acham que ele fez com ela? Isso mesmo. Tentou me matar. Mas não morri. A bomba só me libertou. Fiquei mais forte. E *mais forte*. O mais forte que existe. Que o Rei Vermelho solte todas as bombas que tiver. Não tem como nos vencer.

····

Miek urrou de tanto rir e clicar. Pulou daqui para lá, até pisoteando as cinzas acesas por ali espalhadas. Os outros se protegeram e riram, e Miek berrou:
– Certo, certo! Miek contando a próxima!

····

Miek sozinho, escondendo nos becos, sorrateiro e silencioso, roubando. Ninguém ajudando ele. Ninguém *clic* nem aí. Na verdade, todo mundo tentando *matando* ele. Ou *escravizando*. Até Miek encontrando vocês. Hulk salvando Miek do Rei Vermelho. Korg salvando Miek da Ninhada. Ninhada salvando Miek da bomba fatal. Todo mundo ajudando todo mundo. Então quem se importando com o Rei Vermelho? Miek tomando decisão. Sendo como Skee. Eles cortando fora três mãos, Miek ainda empunhando espada com a que sobrou. Lutando pelos amigos.

····

Miek parou em frente ao corpo de Lavin, ofegante, todos os seus seis corações martelando, um punho erguido. As chamas bruxuleavam, lançando a sombra dele na parede. Estava imensa. Os outros observavam, em silêncio.
– Já ouvi o bastante – disse o padre das sombras.
Ele se levantou, encarando Miek, que o encarou de volta, um olhar desafiador reluzindo com a luz da fogueira. O padre das sombras lançou-lhe um sorriso dos mais vagos, depois se virou para contemplar os demais.
– Que sejamos unidos pela guerra. Na vida e na morte, o juramento não pode ser quebrado.

O padre das sombras ajoelhou-se e pôs a mão no peito de Lavin.

– Ele foi Lavin Skee, protetor de Elloe Kaifi e herói da nossa segunda prova. Nós, que o honramos, falemos nossos verdadeiros nomes e criemos laços que durarão para sempre.

O padre olhou para Miek, que o olhou de volta em choque, com olhos marejados.

– Hiroim, o Humilhado – disse a sombra. – Guerreiro das sombras e padre saka.

Miek clicou, ávido, porém receoso. Hiroim inclinou a cabeça para a mão que pousara no peito de Lavin. Miek estendeu uma garra e tocou a mão de Hiroim.

– Miek. Sem colmeia. Último vivendo.

Um segundo se passou, então um dos tentáculos do membro da Ninhada desenrolou-se e pousou em cima da garra de Miek.

– Sem-Nome. Primeira guerreira da Ninhada.

A pesada mão de Korg uniu-se às dos outros.

– Korg de Krona. Filho de O-Korg e Ahna – crepitou a voz dele. – Irmão-assassino de Margus.

Hulk fitou a estranha pilha de mãos, garras e tentáculos. Lembrou-se dos humanos fracotes. Estivera assim com eles em mais de uma situação. Homem de Ferro, Thor, Capitão América e os demais. E, mais tarde, Estranho, Namor e o Surfista Prateado. Os Vingadores e os Defensores. Até o garoto, Amadeus Cho. Todos falavam tão bonito, fazendo tantas promessas. Chegavam a acreditar nelas quando as faziam. Mas toda vez, sem tirar nem pôr, tudo acabava em traição, esmagamento e humanos fracotes e inúteis gritando MONSTRO MONSTRO MONSTRO...

Mas nesse dia Hulk olhou para os rostos de seus colegas gladiadores. E tudo o que viu foi monstros.

Lá no fundo, uma vozinha fraca gritou NÃO NÃO NÃO NÃO NÃO...

Mas Hulk pousou sua mão no topo da pilha e disse seu nome.

– Gladiadores – sussurrou Miek.

– Sim, Gladiadores – disse Hiroim. – Para o que der e vier.

• • • •

Caiera percorreu o corredor úmido que dava no deque de pouso debaixo da Grande Arena. Um treinador recostado na parede de uma grande caixa de transporte olhou para ela e sorriu.

– Cortar o rei, sobreviver a uma bomba destruidora, detonar um esquadrão de matadores de espetos. Você tem que admitir: é uma bela de uma história, tenente.

– História que jamais devia ter começado – ela retrucou.

– Dizem que começou faz muito tempo. Andam falando, sabe? O imperador pode atear fogo em quantos Tomos quiser, mas as lendas antigas são difíceis de esquecer. Você é uma sombra... sabe do que estou falando.

– Veja lá como fala, ou arranco a sua cabeça.

– Calma aí, tenente. Estou do seu lado, lembra? E trouxe o que prometi. O *Cicatriz Verde* pode até ter começado esta história. Mas o *Selvagem Prateado* acabará com ela.

Caiera espiou pela janela estreita da caixa. O gladiador de pele cromada lá dentro olhou para ela com olhos brancos brilhantes, e a guerreira sentiu o coração disparar para a garganta quando as mais antigas orações de seu pai ressoaram em sua mente.

Filho de Sakaar
Escute o meu apelo.
Meus olhos estão em chamas.
Meu coração está gelado.
A noite é apenas morte.
Filho de Sakaar
Escute o meu apelo.

O treinador riu-se, olhando para ela.

– O que foi que eu disse? É igualzinho a ele, não? Como diz a lenda antiga...

Caiera brandiu a mão, com a palma para fora, e o treinador voou três metros para trás e colidiu com a parede. O Selvagem Prateado ergueu o rosto. Contudo, Caiera tinha o cajado de obediência do treinador em mãos.

– Diga-me – disse ela, sentindo uma raiva gélida espalhar-se pelo corpo. – De onde você veio? Quem é você?

O Selvagem Prateado devolveu o olhar com uma calma estranha.

– Não sou quem você deseja ou receia que eu seja – disse.

– Quem é você? – ela gritou.

• • • •

– Eu sou Norrin Radd, de Zenn-La, um planeta no qual dez mil anos de progresso constante culminaram num paraíso. Sem guerra. Sem crime. Sem doença. Tudo com que os maiores filósofos sempre sonharam. *E eu odiava.* Cresci em meio à perfeição. Mas ansiava pelo passado brutal e envolvente sobre o qual somente podia ler em nossos registros. A era na qual heróis se esforçavam, exploravam, descobriam e lutavam. Lutavam para sobreviver. Lutavam pelo conhecimento. Eu vagava por museus, estudava ciências antigas, as aeronaves em frangalhos que foram aposentadas quando nossos ancestrais alcançaram a paz e o paraíso em Zenn-La. Eu sonhava com aventura e escuridão. E então a escuridão chegou. Seu nome era Galactus, o Devorador de Mundos. De todos os habitantes do meu planeta, apenas eu aprendera como pilotar nossas antigas espaçonaves. Então eu fui sozinho enfrentá-lo. Fiquei de frente para ele, ínfimo e indefeso, e soube que iria morrer, mas gritei "não". Ele me olhou com aqueles olhos inescrutáveis e me concedeu uma escolha. Pouparia o meu mundo se eu me tornasse seu arauto. E eu fui transformado. Tornei-me o Surfista Prateado. Vi galáxias ruindo e novos sóis nascendo. Sonhei com mil mundos, caminhei ao lado de seus heróis, lutei contra seus vilões. Todo o poder do cosmos fluía dentro de mim. Mas o vazio apenas cresceu. Antes, eu ansiava por perigo. Depois, canalizava o Poder Cósmico...E nada podia me tocar. Foi quando senti seu Grande Portal. Poderia ter escapado da atração que ele exerce com a facilidade de quem desvia de uma brisa. Mas ele me chamava. Eu tinha de descobrir por quê. Quando acordei, estava acorrentado. O portal me enfraquecera. Estava vulnerável como nunca estivera. Meus captores perfuraram minha pele, implantaram seu disco, pelo qual puderam controlar a minha vontade. E então descobri por que fui chamado. Forçado à batalha em seus fossos e jaulas, lutei e matei sem parar. Vocês me deram o que um dia eu desejei. Um mundo no qual eu pudesse sentir o que era se esforçar, batalhar, lutar... pela vida em si. Contemplei o paraíso pelo qual sempre ansiei. Por esse dom, eu odeio vocês. Quase tanto quanto odeio a mim mesmo.

....

Caiera recuou da janela, doída de alívio e decepção, tudo ao mesmo tempo.

– Que banho de água fria, não? – disse o treinador. Ele manteve distância, mas sorria ao afagar o quadril batido. – Eu odiaria descobrir que o *verdadeiro* Filho de Sakaar é um *reclamão* desses.

Caiera deu as costas à jaula e seguiu pelo túnel.

– Mas as pessoas não o ouvirão falar – disse o treinador. – Só o verão lutar! E, quando ele terminar, ninguém vai sequer se lembrar do nome do Cicatriz Verde!

5

OS RITMOS BOMBÁSTICOS DOS PERCUSSIONISTAS que circulavam o céu em seus discos flutuantes reverberavam pela Cidade da Coroa debaixo de um sol que ascendia feito um irritado olho vermelho. No setor residencial, os fabricantes de néctar eram só sorrisos ao deitar garrafas no batente das portas. Encerrariam o expediente mais cedo para ir ao espetáculo – o toque triplo da percussão indicava que o imperador anunciara um feriado público.

Seria um banho de sangue, sem sombra de dúvida.

Guardas com cajados de obediência flutuavam no campo central da Grande Arena enquanto imperiais magros e adoentados – escravos fracos demais para serem gladiadores – remexiam e alisavam a areia. Trabalhariam a noite toda, preenchendo o gigantesco buraco causado pela explosão e colhendo os cacos de vidro resultantes do derretimento da areia pela bomba fatal. Porém, com o nascer do sol, um escravo cheio de cicatrizes captou um lampejo esverdeado na areia: era a luz refletindo numa poça de sangue de Hulk. E algo mais...

– Pelo Profeta... – sussurrou o escravo.

– Ande logo com isso, escória! – berrou um guarda, lá do alto. – Ou vai querer ser o café da manhã do Cicatriz Verde?

O escravo sacudiu a cabeça, em deferência, e ajoelhou-se, angulando seu ancinho para deslocar um naco de rocha da areia. Contudo, ao se levantar, enfiou disfarçadamente alguma coisa dentro da camisa esfarrapada.

– O que é? – sibilou o escravo trabalhando ao lado dele.

– Um broto de eleha'al – murmurou o outro, sentindo as pétalas verdes frescas contra o peito. – Cresceu...

O escravo hesitou, receoso de estar prestes a dizer palavras sagradas ou uma verdadeira blasfêmia. Mas as pétalas escondidas farfalharam, e ele sentiu uma calma esquisita espalhar-se por sua estrutura frágil. Pela primeira vez em oito estações, o escravo sorriu.

– Cresceu no sangue do Cicatriz Verde.

· · · ·

Quando o sol clareava a parede leste da Grande Arena, as arquibancadas estavam lotadas. Os oligarcas de quatro estemas sentavam-se em seus camarotes cobertos, rindo-se e fofocando. Os cidadãos e os servos livres misturavam-se em setores inferiores, com vendedores ofertando lanches, cornetas e bandeiras do Cicatriz Verde impressas de última hora ostentando serigrafias da carranca feroz de Hulk.

– Cinco quadrados de prata? Isso é um roubo!

– É esse o preço de uma boa tinta verde, cidadão! Estoque antigo, importado de Fillia, de antes da guerra! Garantia de não apagar nem amarelar... como o próprio Cicatriz Verde!

Os mais barulhentos, porém, eram os escravos no primeiro setor da arquibancada. O conselheiro de jogos tivera receio de que os ingressos para a pista não vendessem após a incineração ocorrida no dia anterior. Mas os escravos da Cidade da Coroa nunca tinham visto alguém de sua estirpe causar tanto caos. Eles se amontoavam nos camarotes lado a lado, tontos de empolgação, cantando, cantarolando e murmurando piadas internas, caindo no riso logo em seguida. Guardas com cajados de obediência pairavam logo acima, tensos e receosos.

Todo mundo no estádio queria ver sangue. A questão era: sangue de *quem*?

No camarote do imperador, o conselheiro de jogos acenou para o novo apresentador, que pigarreou e respirou fundo. Havia três guardas logo atrás dele, tão perto que o incomodavam. O sol ainda não tinha afugentado por completo o ar fresco da manhã. Mesmo assim, os dedos do apresentador estavam úmidos de suor.

– Não se preocupe – disse o conselheiro, com um sorriso apagado traindo o próprio nervosismo. – O imperador quer ver um espetáculo.

– *Cicatriz Verde!* – berrou o apresentador ao microfone.

A multidão rugiu de volta com uma alegria crua e furiosa. O apresentador sentiu o coração acelerar. Construíra uma carreira no circuito regional, fornecendo comentários para banhos de sangue desnecessários em fossos de lama mal frequentados. Era a primeira vez que atuava na Grande Arena, a primeira vez que sentia as costelas reverberando com as dez mil vozes que gritavam em uníssono em resposta às palavras dele. Apesar de tudo isso, ele sorriu. E respirou fundo.

– CICATRIIIIZ VERDEEEE! *Ele e seu bando de monstro sobreviveram à Boca! Esmagaram os robôs selvagens! E venceram suas duas primeiras rodadas na Grande Arena! Mas, afinal, quem são esses heróis horrendos? Façam muito barulho para o poderoso e acinzentado Guerreiro das Sombras, Hiroim, o Humilhado! O fabuloso espécime da Ninhada! Não tem como não amar o sorriso dessa dama! Korg, o Kronano, mais novo pedaço de rocha favorito de Sakaar! Miek, o Sem-Colmeia! O insetinho mais sortudo e invocado do planeta! E o cara do momento, o Rei da Esmagação, o Martelo Maciço do Terror...* CICATRIIIIZ VERDE!

Os Gladiadores aguardavam na areia, refletindo a luz do sol em sua armadura brilhante, cobertos por ondas contínuas de uma gritaria furiosa. Hulk escaneou a plateia com um olhar desconfiado. Ouvira esse som antes. Sabia que valia muito pouca coisa.

Miek olhava para Hulk, imitando a postura e a expressão sóbrias. Mas logo sentiu o cheiro cálido e almiscarado de feromônios de inseto, e começou a captar pequenos grupos de escravos nativos na arquibancada, clicando e celebrando, gritando o nome dele. Miek, o Sem-Colmeia, que passara a vida toda sozinho e odiado, sem uma palavra ou toque de carinho, ergueu a cabeça e um punho. E a multidão explodiu em gritaria.

• • • •

No elevado hangar do palácio do imperador, o ministro-chefe das Ciências Imperiais apontava a aeronave de Hulk, que jazia sobre blocos, com uma dúzia de inspetores sondando seu misterioso interior.

– Os danos são extensos, sua eminência, mas já recuperamos umas migalhas interessantes dos bancos de dados. O povo dele, pelo visto, tinha tão pouca consideração por ele quanto nós temos. Enganaram-no para que entrasse na nave, sem dúvida com a intenção de matá-lo. Se conseguirmos entender como funciona a tecnologia deles...

O conselheiro Denbo fez um discreto ruído com a boca, e o ministro não concluiu o que dizia. O Rei Vermelho estava de costas para eles, de frente para a janela, observando o horizonte no corrimão, ensurdecido com toda a trovejante algazarra que vinha abaixo, da Grande Arena.

– Eu devia estar lá embaixo – disse.

– Ah, mas você está, sua graça – disse Denbo, a voz sedosa, cada vez mais confiante. – A autoridade do imperador permeia cada aspecto dos jogos.

– Você entendeu o que eu quis dizer – retrucou o Rei Vermelho. – Ele me *cortou*. Devia ser *eu* a matá-lo.

– Se *você* o matar, fará dele um *herói* – disse Denbo. – Ele é apenas um monstro. Que morra como um.

O Rei Vermelho concordou, desanimado, observando a arena, e o coração de Denbo encheu-se de um orgulho presunçoso.

• • • •

O apresentador acenou para o capitão dos percussionistas, que flutuava acima dele, e os instrumentistas puseram-se a tocar um ritmo curto de *stacatto* que foi repetido três vezes, em rápida sucessão. O rugido da plateia cedeu imediatamente, substituído por murmúrios, sussurros e um gritinho ocasional, pois dez mil pares de olhos fixaram-se nos gladiadores. Começavam os jogos.

Os Gladiadores se entreolharam naquela quietude sinistra, e moveram-se na areia. Formaram um círculo bem no centro da arena, virados para fora, preparando-se para um ataque vindo de qualquer direção. Hulk podia ouvir o ribombar do coração de Korg e os estalos apreensivos de Miek à esquerda. As asas de Sem-Nome agitavam-se atrás dele. A lâmina comprida da espada de Hiroim raspava de leve a areia à direita. Em qualquer outro momento de sua vida, Hulk teria virado para qualquer um desses ruídos, pensando haver armas apontadas para ele pelas costas. Contudo, nesse dia, continuou olhando para a frente. A raiva fervilhava debaixo de sua pele, como sempre, constante e ardente – sua velha amiga. Mas seu olhar estava claro, e o coração, tranquilo. Seus novos amigos estavam ali para ele.

Unidos pela guerra.

Os portões perante Hulk começaram a ranger e abrir-se.

— Chegou a hora, cidadãos, escravos e oligarcas! Preparem-se... para o *Selvagem Prateado*!

A plateia começou a ovacionar, mas estremeceu como um único ser vivo quando a luz do sol cintilou na pele brilhante do Selvagem Prateado. Sobre a areia, de cabeça baixa, com uma grande prancha de prata apoiada num dos braços feito um escudo. Uma grossa clava reluzia pendurada na outra mão.

— Blasfemos — sussurrou Hiroim.

Korg olhou para ele, sem entender. Mas Hulk deu um passo na direção do Selvagem Prateado, baixando a espada, parecendo muito surpreso.

— Surfista! É você mesmo?

— Simmmm... — disse o Surfista, baixando a cabeça quando seu disco de obediência faiscou.

— Conhece ele? — perguntou Hiroim.

— Conheço — Hulk murmurou.

— Então reze por ele. Pintaram-no para que se parecesse com o Filho de Sakaar. Uma abominação perante os olhos do Profeta.

— Aquilo não é pintura — disse o Hulk. — Ele é o *Surfista Prateado*. É meu... meu *amigo*.

O Surfista curvou-se em reação ao fulgurar de seu disco de obediência.

— Amigo... — grunhiu ele.

Então ele se lançou à frente rapidamente feito um raio de luz, colidindo com os gladiadores, brandindo a clava para cima, estourando o escudo de Hulk em mil pedaços.

— Seu moleque nojento! — Hulk rosnou.

O braço que portava o escudo ficou amortecido com o golpe, mas a fúria nas veias dele percorriam os outros músculos. Ele segurou o Surfista pelo punho antes que este pudesse atacar de novo.

O disco de obediência do Surfista crepitou.

— Me perdoe — disse ele.

Ele se soltou de Hulk e brandiu a clava, munindo-a do Poder Cósmico. Hulk voou quinze metros para trás e colidiu com a parede da arena.

— Ele não tinha dito que todos os humanos idiotas sendo *fracos*? — disse Miek, de olhos esbugalhados.

– Eu disse que ele estava exagerando – sibilou Sem-Nome.

Hulk olhou para o alto. Caiera, a Fortaleza, pairava acima deles em seu disco flutuante. O treinador do Surfista Prateado estava ao lado dela, brandindo seu reluzente cajado de obediência.

O Surfista gemeu ao ser novamente atacado pelo disco, e virou-se para Hulk e os gladiadores.

– Adeus – disse ele.

– Preparem-se! – Hulk rugiu.

Miek e Sem-Nome atacaram, golpeando o Surfista com lâminas, garras e presas. Qualquer outro inimigo teria sangrado até a morte em questão de segundos, mas eles sequer conseguiram arranhar a pele do Surfista. Ele girou a clava, partindo as espadas e os arremessando para longe. Acima de Miek, ele ergueu a prancha, pronto para esmagá-lo.

Korg lançou-se para a frente, entrou no meio de Miek e Surfista e tomou o escudo deste. O homem de pedra sobrevivera à explosão da bomba sem uma marca sequer; enfrentara um deus e perdera apenas algumas lascas. Contudo, sentiu suas placas se mexendo e rompendo com fissuras quando o Surfista o derrubou no chão e o mandou voando pela arena com um golpe retroativo da prancha.

Hulk e Hiroim estavam agachados na areia quando os sinistros olhos brancos do Surfista os encontraram.

– Se ele tiver mais uma chance, vamos todos morrer – murmurou Hiroim. – Só vejo um ponto fraco...

– Entendido – disse Hulk, erguendo uma lança. – Vá pelo alto.

Hiroim sacou sua espada e saltou para o ar. Era apenas um Guerreiro das Sombras, feito de carne e ossos. Contudo, seu coração cantava com sua fé saka. O Surfista ergueu a cabeça por reflexo e levantou o escudo para desviar quaisquer milagres eventuais.

Hulk viu, então, a abertura. Ele avançou, pondo todo o peso e a força na lança. O Surfista jogou Hiroim para o lado, deixando passar o átimo de segundo que tinha para defender-se do ataque de Hulk. Não conseguiu impedir que a lança o acertasse. Mas o fato era que ele já tinha passado tempo suficiente no planeta para recuperar-se de muitos dos efeitos enfraquecedores do Grande Portal. Não importava a potência do ataque de Hulk – era impossível rachar a pele do Surfista.

Mas Hulk tinha um alvo mais específico.

A ponta da lança atingiu bem no centro do disco de obediência implantado no peito do Surfista, estilhaçando sua acetinada superfície preta. Uma imensa chama de ardente energia azul envolveu os dois.

Quando o borrado clareou nos olhos de Hulk, ele viu o Surfista ajoelhado na areia, com fumaça desprendendo do disco estilhaçado no peito. Ele ergueu o rosto e olhou para Hulk com um olhar calmo e cintilante.

– Você me libertou – sussurrou ele.

Hulk sentiu a raiva fritando seu cérebro. E esmagou a cara idiota do Surfista no chão.

A plateia explodiu em algazarra.

Hulk esmagou de novo, e a plateia gritou ainda mais alto.

Hulk esmagou de novo e de novo e de novo. O corpo prateado do Surfista dobrou, quebrou e ficou largado na areia.

E a plateia ficou quieta, em choque.

Korg segurou o punho erguido de Hulk, que se virou e rugiu na cara dele. Mas Korg não perdeu a linha e o encarou de volta.

– Nós vencemos – disse.

Hulk virou-se para seus amigos gladiadores. Estavam todos ao redor, ensanguentados e feridos. Mas todos de pé, vivos, juntos.

– Nós sobrevivemos a três rodadas! – rugiu Korg para a plateia, ecoando pela areia sua voz explosiva e poderosa. – Três rodadas na Grande Arena! *Queremos a nossa liberdade*!

. . . .

O Rei Vermelho observava a arena. A animação da plateia espalhava-se como o rugido do oceano. Caiera, a Fortaleza, falava com ele através do disco de comunicação na mão trêmula do conselheiro Denbo. Quando ela ligou pela primeira vez, Denbo considerou desligar o aparelho ou derrubá-lo acidentalmente por cima do corrimão. Mas então lhe ocorreu que talvez fosse melhor que *ela*, em vez *dele*, transmitisse essa mensagem.

– Acabou, sua eminência – disse Caiera.

– Ainda não – respondeu o Rei Vermelho, com um pequeno sorriso curvando as beiradas dos lábios.

••••

Caiera caminhava pelo túnel debaixo da Grande Arena, as costas tensas de raiva. Servira como guarda-costas do Rei Vermelho por oito longas estações antes de ele reivindicar o trono, e conhecia os vícios dele melhor do que qualquer um. Então, claro, odiava-o com todo o seu coração de pedra. Mas seu ordenado era uma obrigação estipulada pelo Tratado das Sombras feito entre seu povo e os imperiais. Romper seu juramento seria um ato de guerra. Ela sempre obedecera às ordens dele, sabendo que as vidas de milhares dependiam das atitudes dela. E o que ela não podia suportar, o disco de obediência que zumbia baixinho, cálido e pronto debaixo da armadura em seu peito, simplesmente requisitava.

Caiera saiu para a areia, seguida por três prisioneiros em robes, flanqueados pelos guardas cabeças da morte. Hulk e seus Gladiadores viraram-se para vê-la. Ela os encarou e não identificou medo, nem mesmo no pequeno inseto.

– Esses são inimigos do seu imperador – disse ela sem a menor emoção, acenando para os guardas cabeças da morte, que puxaram para trás os capuzes dos prisioneiros.

Miek soltou uma exclamação. Elloe estava no meio, atordoada e ferida, com o quinto prefeito e seu batedor ao lado.

– Elloe Kaifi, sua amiga. Uma imperial de alta casta... E uma *traidora*.

Todos nas arquibancadas ficaram em silêncio. Os oligarcas, em seus camarotes cobertos, inclinaram-se para a frente, tensos de receio. Tinham ouvido rumores acerca do desaparecimento de Ronan Kaifi. Disseram entre si que Ronan sempre fora um arruaceiro – um cruzador hipócrita, presunçoso, que metia o nariz em assuntos que seria muito melhor deixar de lado. Mas agora ali estava a filha dele, a pequena Elloe, que cantava tão lindamente na capela, que vencera a competição de saltos apenas três estações antes, que gostava de ovos assados e da cor púrpura.

– Matem-na e estarão livres – disse Caiera aos Gladiadores.

– Péssima piada – disse Hulk.

O crepitar de seus punhos se fechando ecoou pela silenciosa arena.

– Queria que fosse, mesmo – disse Caiera.

Ela acenou para Primus Vand. Ele deu um passo à frente, desgostoso, erguendo o cajado de obediência.

– Não resista, verdão – murmurou ele. – Vocês já venceram. Isso vai ser só mais um servicinho antes de vocês poderem sair por aquela porta.

Uma energia azulada desprendeu-se do disco de obediência de Hulk e fulgurou por sobre os ombros e os braços dele. Hulk grunhiu, e seus músculos retesaram-se para enfrentar o disco, mas ele ergueu um punho imenso acima da cabeça de Elloe. Ela olhou para ele com serenidade. O punho de Hulk ficou pairando no ar, trêmulo, e o povo nas arquibancadas viu com choque quando ele rugiu de raiva e angústia.

– Basta – sussurrou Elloe. – Nem mesmo você pode impedir isto. Só me diga uma coisa. Lavin Skee... meu... o guarda de meu pai. Onde...

– Aqueles que morreram, morreram honrados – disse Hiroim.

Elloe olhou para ele com uma expressão sofrida e soltou um suspiro demorado.

– Lavin Skee nos liderou em nossa segunda provação – disse Hiroim. – Ele tombou como um herói, e fizemos nosso juramento de aliança como Gladiadores acima do corpo dele, ainda quente.

Hiroim voltou-se para Caiera com ousadia.

– E então invocamos as provisões dos gladiadores do Pacto das Sombras – disse ele. – Nosso irmão servia a Elloe Kaifi. Não podemos lutar contra ela. Se nos forçar a tanto, violará o tratado entre Sombras e Império.

Caiera olhou de volta para Hiroim com um respeito soturno.

– Eu o conheço, Hiroim, o Humilhado. Você abriu mão do direito de invocar o Pacto das Sombras quando violou seu primeiro juramento de gladiador.

– Esse juramento foi violado muito antes de eu e você o fazermos, Caiera, a Fortaleza.

– O que você diz é uma traição.

– Que seja. Mas não mataremos essa garota.

Primus Vand suspirou, cuspiu na areia, ergueu o cajado de obediência e tocou o painel. Energia azulada explodiu dos discos de todos os

Gladiadores. Eles berraram, virando-se para Elloe, erguendo as armas. Seus músculos flexionaram-se, aos espasmos. Sua carne soltou fumaça, queimando com a energia azul que fulgurava em torno dela. O punho de Hulk e as armas dos Gladiadores ficaram tremendo em pleno ar, posicionados para matar...

... mas ninguém atacou, não importava quão forte Primus esmagasse o painel.

– Isto é uma loucura! – gritou ele. – Vão fritar seus cérebros, e ela morrerá mesmo assim! Nosso mundo funciona assim. Ninguém pode impedir!

Uma mão prateada ergueu-se no ar, crepitando com o Poder Cósmico. Os discos de obediência nos peitos dos Gladiadores explodiram.

Por toda a arena, centenas de escravos exclamaram quando seus discos de obediência sibilaram e pipocaram, despencando em fragmentos no chão.

Caiera permaneceu imóvel feito pedra. Mas seus olhos se escancararam quando seu próprio disco de obediência dissolveu-se em poeira por detrás da armadura.

O Selvagem Prateado ajoelhou-se, com sua armadura batida, no centro da arena. Mal sussurrou. Mesmo assim, cada alma no local pôde ouvi-lo tão claramente quanto se ele estivesse logo ao lado.

– Chega de escravidão. Estão todos livres agora. Atados somente pelos laços que eles mesmos escolheram.

Os escravos, em seus camarotes sem assentos, entreolharam-se aturdidos.

– Livres – disse Korg.

– É – disse Miek. – E *clic* agora?

– Detonamos tudo isto aqui – disse Hulk.

・・・・

O imperador viu com expressão lívida, do alto de seu palácio, quando Korg e Hulk arrebentaram a parede da Grande Arena. Os Gladiadores saíram com tudo para a rua, seguidos por uma horda alucinada de escravos libertados. Atrás do imperador, o conselheiro Denbo, literalmente aos pulos, latia para seu disco de comunicação, gritando para os comandantes da guarda que contivessem os monstros. Contudo, as unidades escravizadas do exército entraram em rebelião, os guardas cabeças da morte nos arredores desmantelaram-se espontaneamente para o chão, despedaçados, e os oligarcas imploravam aos berros pela proteção de seus gloriosamente vingativos criados.

O imperador visualizou sua armadura e suas espadas douradas no depósito de armas, um andar debaixo de seus pés. Imaginou-se investindo como um relâmpago contra o Cicatriz Verde, decepando aquela cabeça hedionda de seus ombros, e devastando tudo por entre as hordas de molengas e histéricos escravos e rebeldes.

Mas em seguida viu o sol reluzindo no Selvagem Prateado, que plainava por sobre os rebeldes. Viu Korg derrubar um pelotão de soldados com uma poderosa pisada no solo. Viu Hulk quase casualmente abrir um buraco enorme na parede externa da cidade e guiar a horda para a Floresta Retorcida.

....

Hiroim escaneava a multidão que ia preenchendo a Floresta Retorcida. Boa parte dos escravos libertados pelo Surfista se espalhou e desapareceu na cidade assim que saíram da Grande Arena. Mas 215 ex-escravos, ambos nativos e imperiais, seguiram os Gladiadores e o Surfista, a maioria usando nada além de sandálias e robes finos. Poucos portavam suprimentos ou ferramentas; Hiroim supôs que apenas um punhado tivesse alguma experiência em sobrevivência na floresta. Conforme adentravam mais e mais a mata e as sombras ficavam ainda mais escuras, o tagarelar empolgado e as risadas foram trocados por murmúrios de nervosismo.

– E quanto aos robôs selvagens? – perguntou um pequeno e nervoso imperial de robes azuis.

– Não temendo eles, irmão – disse Miek. – Vocês agora estão com o *Cicatriz Verde*.

Miek virou-se, fazendo orgulhoso um sinal de positivo.

Mas Hulk não estava mais por ali.

....

Sobre um morro acima da Floresta Retorcida, Hiroim viu o Surfista voltar-se para o sol, fechar os olhos e assimilar os raios do astro. Hiroim sorveu o ar, como se estivesse se preparando para falar. Mas ficou em silêncio. Depois repetiu o gesto, incapaz de conter-se.

– Na fé saka, contamos a história do Filho de Sakaar, que reluz sob as estrelas. Ele vem para nos escravizar. Quando vi você pela primeira vez, contra tudo que penso, pensei que você... – Hiroim não concluiu a frase, tomado pela vergonha, incapaz de concluir o pensamento.

– Ouvi falar dessas histórias – disse o Surfista. – E também não quero acreditar nelas. Eu nasci da ciência, não da profecia. Mas, na minha época, vi muitos mistérios tornarem-se realidade. E suas histórias falam também do Quebra-Mundos, que vem para destruir.

O Surfista flexionou a mão. Dela, emanava energia cósmica. Sua expressão ficou ainda mais soturna conforme seu poder aumentava.

– Já tomei vidas demais neste planeta. Não posso ficar aqui.

Hiroim ficou apenas olhando para o Surfista, e assentiu. O padre ficou em silêncio por um momento, cabeça inclinada, demonstrando respeito. Depois se afastou para unir-se aos refugiados.

Hulk emergiu da mata. Viu Hiroim indo embora, depois se voltou para o Surfista.

– Pouco antes, na arena... – começou ele, depois resmungou. – Sinto muito pelo que ocorreu.

– Eu também – disse o Surfista. – Mas os discos de obediência agora são passado.

– Não foi o disco de obediência que me fez esmagar você – disse Hulk. – Fiz tudo por conta própria.

Os dois se encararam, estudando as expressões um do outro.

– Sua raiva sempre foi a sua maldição – disse o Surfista. – Devo libertá-lo dela?

Hulk imaginou o Surfista erguendo aquela mão cintilante para canalizar o Poder Cósmico que ondulava por todo o corpo dele. Sentiu o cerne quente de fúria em seu coração e abdômen fervilhando, para então resfriar lentamente e esvanecer. Viu sua pele e a carne derretendo, viu a si mesmo murchando e desaparecendo até restar somente uma coisinha rosada deitada encaracolada no chão, sorrindo ao dormir.

Banner.

Sim sim sim sim sim sim...

Hulk fez careta.

– De jeito nenhum.

O Surfista riu-se. Mas logo ficou sério de novo.

– Continuo fraco, sabe? Tem alguma coisa neste planeta, ou no portal. Preciso retornar às estrelas.

Ele pôs a mão no ombro de Hulk.

– Você vem?

Hulk sentiu o toque do Surfista espalhar-se por seu peito, acalmando o bater de seu coração, relaxando seus músculos – cálido e fresco ao mesmo tempo, vívido com a promessa de possibilidades sem fim. Lembrou-se de uma noite, muitos anos antes, quando sentira essa calmaria pela primeira vez, admirando um brilho prateado no céu.

– Quando nos conhecemos, isso era tudo que eu queria – disse ele. – Eu odiava os humanos idiotas. Não me deixavam em paz. Então vi você no céu. Pensei que fosse um disco voador. Quis capturá-lo. Forçá-lo a me levar para outro mundo.

Hulk fez careta ao se lembrar do salto que deu para o ar, de agarrar a prancha do Surfista, raivoso, belicoso, e de cair, cair, cair.

– Me perdoe. Se eu soubesse... – murmurou o Surfista. – Mas posso te levar agora.

– Você não entendeu – disse Hulk.

Ele se virou para onde os Gladiadores guiavam os civis por entre as árvores. Ao dar um passo na direção deles, a mão do Surfista escorregou de seu ombro, e a velha chama retornou a seus músculos e ossos. A dor de cada hematoma e corte que este planeta lhe dera. A justa raiva dos sofridos. A glória furiosa dos rebeldes.

Miek emergiu da mata, clicando e acenando. O imperial fracote de robe azul ao lado dele ficou pálido ao ver Hulk, e recuou devagar. Miek caiu no riso. Hulk voltou-se para o Surfista e mostrou os dentes.

– Já cheguei onde queria.

– Que seja. Fique bem.

O Surfista observou Hulk. Jamais vira o amigo tão focado e relaxado, tão seguro de si. E subitamente entendeu como isso o tornava ainda mais perigoso.

Quebra-Mundos.

– Ou melhor – disse o Surfista. – *Seja bom.*

• • • •

Caiera caminhava pela arena, disparando ordens para os curandeiros que atendiam os soldados feridos, deitados na areia. Devia ter perseguido o Cicatriz Verde, derrubado o monstro e massacrado seus seguidores. Contudo, em vez disso, salvara cinco oligarcas gordos das facas de seus criados e impedira que um subalterno em pânico e massacrasse uma centena de cidadãos que fugiam, que escalavam as barricadas do lado de fora da arena, apenas tentando voltar para casa.

Quando viu um escravo ajoelhado no chão da arena, agarrado a uma plantinha que mantinha junto ao peito, Caiera estancou, chocada. Grandes poças de sangue verde espalhavam-se na areia à frente dele. E, do centro de cada mancha de sangue, vinhas pulsantes latejavam, e delicadas folhas se desenrolavam. O escravo virou-se e olhou para ela, radiante.

– Filho de Sakaar – sussurrou ele.

Filho de Sakaar.
Escute o meu apelo.
Meus olhos estão em chamas.
Meu coração é puro gelo.
A noite é apenas morte.
Filho de Sakaar.
Escute o meu apelo.
Refresque os meus olhos.
Aqueça o meu coração.
Deixe-me sonhar de novo.

LIVR

ANARQUIA OZ 2

Б

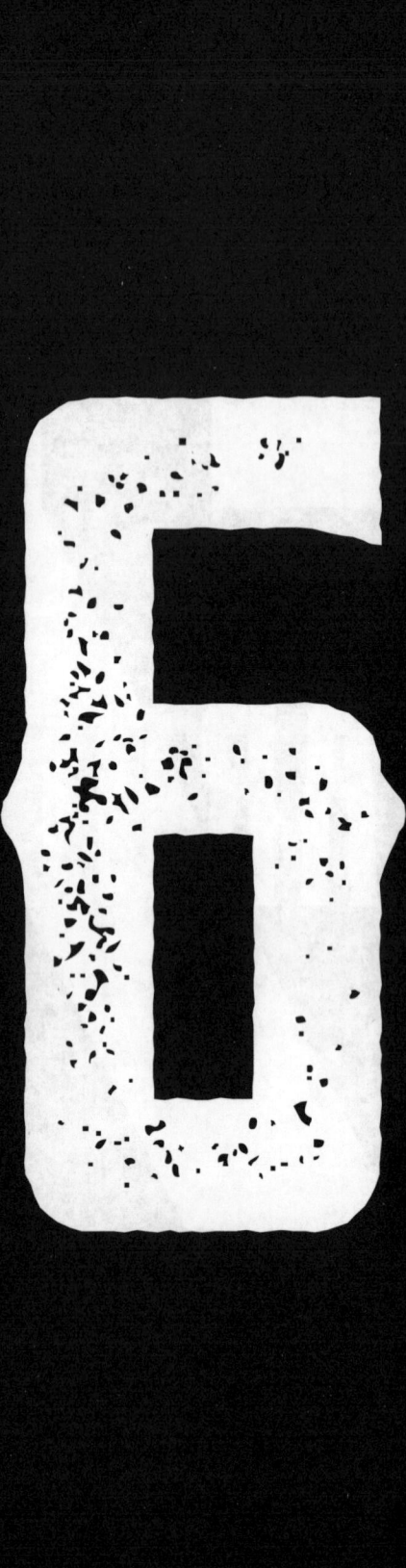

HULK FALOU POUCO MENOS DE CEM PALAVRAS pelas doze horas seguintes. Apenas caminhou em silêncio pela Floresta Retorcida. Centenas o seguiam.

Hiroim e Korg cuidaram de armar os ex-escravos mais em forma com tocos afiados e os arranjaram ao longo das laterais da coluna para defender os demais de possíveis ataques. Sem-Nome esvoaçava pela escura floresta, caçando porcos-de-árvore e colhendo cogumelos para a refeição noturna, enquanto Elloe e Miek guiavam equipes de batedores por todas as direções. Mas não havia batedor tão bom quanto o faro do Cicatriz Verde. A cada hora, mais ou menos, ele parava, olhava para o alto, sentia o cheiro do vento e trocava de direção. Ao longo do primeiro dia, o humor dos refugiados passou de uma atordoada elação para uma tensão que beirava o pânico e depois para uma calma que cresceu lentamente. Sentiam um tremor sacudir o solo a cada passo do Cicatriz Verde. Inicialmente, isso os preenchia de admiração e receio. Poucos ousavam caminhar ao seu lado – tinham testemunhado a destruição que o mais reles toque dele podia desencadear. Porém, gradualmente, sentiram o bater de seu coração sincronizar-se com o ritmo constante que ecoava pelo solo com as passadas dele. E foram chegando cada vez mais perto durante a caminhada, confortados por aquela presença gigantesca. Hulk podia até ser um monstro. Mas a cada hora que passava, ficavam mais e mais seguros de uma coisa: ele era o monstro *deles*.

Quando caiu a noite, Korg posicionou vigias em torno de uma clareira, e Hiroim mostrou aos refugiados como podiam montar fogueiras que não geravam fumaça, sob galhos úmidos. Hulk sentou-se à sombra de uma árvore, num morrinho baixo, e ficou observando o acampamento, vendo as pessoas começarem a se recolher para dormir.

– Ali – sibilou Sem-Nome.

Hulk olhou para onde ela apontara e sorriu. O pequeno imperial de robe azul deslizara para a beirada mais distante do acampamento e desaparecera na escuridão entre as árvores.

••••

O espião de robe azul escondeu-se atrás de uma pedra, de onde podia ver o acampamento, e sacou um aparelho comunicador das vestes.

– Estão completamente vulneráveis... em terreno baixo, num vale entre duas montanhas, com umas poucas fileiras de fortificações de madeira – murmurou ele para o receptor. – Sigam meu rastro... Deve levar menos de uma hora para chegar até aqui.

– Mensagem recebida – disse o conselheiro Denbo em seu comunicador, a treze passos de pedra, em seu próprio acampamento. – Fique onde está.

Caiera, a Fortaleza, olhou receosa para Denbo.

– Versículo doze do *Manual de Guerra*, conselheiro – disse. – Se um inimigo o convida para entrar...

– Eu garanto a você: nossos oponentes não andaram lendo o *Manual de Guerra*.

– Hiroim, o Humilhado, serviu como Sombra Gladiadora do pai do imperador...

– Então você acha que o Cicatriz Verde agora tem um segurança? E está planejando um plano magistral para nos enganar e derrotar? – sugeriu Denbo, olhando para Caiera com cara de pena. – Eu fui o *primeiro* a enfrentar o Cicatriz Verde. *Antes* até de você, Caiera, a Fortaleza. E presenciei todas as batalhas em que ele esteve desde então. Ele luta por raiva. Ou orgulho. Ou apenas porque *gosta*. Ele pode até empregar uma *astúcia* rudimentar em combate mano a mano. Mas garanto a você: *estratégia* nada tem a ver com isso.

O comunicador de Denbo crepitou.

– Senhor – disse o espião. – Gostaria de ficar um pouco mais longe, se não...

– Não, não – disse o conselheiro. – Fique onde está.

Ele acenou para seus soldados, que subiram na carruagem de guerra e abriram uma grande caixa de transporte. Um trio de ameboides cheios de tentáculos, similares a lulas, flutuaram para fora da caixa, com seus discos de obediência faiscando, e os soldados começaram a atrelar bombas aos arreios das criaturas.

· · · ·

O espião do robe azul aninhou-se entre pedras no morro e pôs-se a acariciar timidamente as pernas arranhadas por espinhos com um lenço. Vendo as fogueiras reluzindo entre as barracas lá embaixo, soltou um palavrão em voz baixa. Em suas doze estações como interrogador do exército na Cidade da Coroa, acostumara-se aos escritórios reais, quentinhos e secos. Mas ali estava ele, com frio, sangrando e com fome, tudo por causa dos traidores lá de baixo. Mal podia esperar para ver os soldados de Denbo assolarem todos eles.

Mas seus olhos captaram um movimento no céu escuro da noite, e ele ficou boquiaberto. Após girar para a direção oposta à do acampamento, desatou a correr para o outro lado do morro.

– Por que está fugindo?

O espião olhou para o alto, em choque. Lá estava Hulk, imenso perante ele, com um sorriso curto e cruel nos lábios.

– Não tem mais ninguém aqui além de nós, monstros.

Hulk estendeu aquelas mãos enormes. Contudo, antes que pudesse agarrá-lo, o espião cambaleou para trás, tropeçou na beirada do morro e caiu rolando pela encosta, na direção do acampamento.

Foi então que o disco de obediência da lula voadora lá no alto fulgurou, os tentáculos agitaram-se e as bombas despencaram e preencheram o vale com fogo.

• • • •

Nascia o dia quando Caiera, a Fortaleza, visitou o acampamento destruído pelas chamas e viu os restos enegrecidos de barracas e tendas. As bombas tinham incinerado a área toda. Mas ela viu apenas um corpo carbonizado.

Com um dos pés, ela virou o crânio, reparou nos fragmentos de tecido azul por entre as cinzas, e levou o comunicador ao ouvido.

– Só um corpo, conselheiro. Nosso espião. Os rebeldes sabiam o que tínhamos planejado e moveram o acampamento. E as bombas destruíram qualquer rastro que possam ter deixado durante a fuga. Voltamos ao ponto zero.

Disparos de energia pinicaram o ar. Caiera correu até o outro lado do acampamento a tempo de ver os guardas cabeças da morte de Denbo incinerando um par de imperiais amarrados.

– Acalme-se, Caiera – disse Denbo. – Só estou lidando com uns aldeões locais. Estavam escondendo comida do exército. Temos que manter o nível.

Caiera ficou olhando para os corpos largados no chão, com os punhos apertados. Fizera um juramento ao imperador, não a Denbo. Tecnicamente, podia cortar o conselheiro ao meio ali mesmo onde estava. Mas tinha bastante certeza de que nem o imperador nem os anciões de seu povo apreciariam uma interpretação tão livre do Tratado das Sombras.

Denbo chegou um pouco mais perto dela e falou aos sussurros, olhando desconfiado de esguelha para os morros circundantes.

– E achei que pode ser mais um atrativo para a isca de sua armadilha.

. . . .

Elloe assistia a tudo escondida entre as árvores, morro acima. O cheiro dos corpos chamuscado atingiu seu nariz; ela se retraiu quando diversas imagens do pai sendo morto na Boca passaram por sua mente.

– Vamos logo com isso, Hulk – disse ela, sacando a espada.

Porém, Hiroim estendeu a mão para ela.

– "Se o inimigo convida você a entrar..." – disse ele. – Olhe para o outro morro, ao longe.

Elloe colocou o binóculo nos olhos e espiou a borda da mata, do outro lado do vale.

– Certo. Tem razão. Vejo uns lampejos. Dois *snipers* de armadura.

– Não – disse Hiroim. – Uma dúzia de carruagens de guerra e dois pelotões de infantaria pesada. Caiera está tentando virar nosso truque contra nós. Quer que achemos que está exposta. Quer que ataquemos de raiva. Para então nos espremer feito moscas de néctar.

Hiroim afastou-se, passando por entre as árvores. Elloe continuou de olho nos corpos chamuscados lá embaixo, no vale, cheia de fúria e avidez. Contudo, apenas fez careta, virou-se e acompanhou Hiroim para a clareira onde o resto dos Gladiadores aguardava.

– Se queremos sobreviver, precisamos aprender mais sobre estratégia – disse Hiroim. – E esses escravos precisam aprender a guerrear. Precisamos de um local no qual treinar.

Miek estalou suas mandíbulas.

– Miek *clic* sabendo de um lugar.

· · · ·

Uma dupla de soldados imperiais em discos flutuantes sobrevoava o fosso que cercava a pequena vila de fazendeiros de An-Toba.

– O Cicatriz Verde escapou! – alertou o soldado-líder. – Foi visto pela última vez nesta direção. Se o virem, ou qualquer um do bando dele, contatem-nos imediatamente!

– E vocês virão correndo, rápido assim? – zombou um velho fazendeiro chamado Fengo. – Do mesmo modo como são tão úteis toda vez que os robôs selvagens atacam?

– O Cicatriz Verde é uma questão militar, federal – retrucou o soldado. – Os robôs selvagens são um problema local, para autoridades locais. Não é nossa jurisdição...

A água debaixo do soldado explodiu. Um imenso robô gigante lançou-se para o alto, tomou-o em suas imensas mandíbulas de metal e caiu de volta na água fazendo muito estardalhaço.

O chefe Charr correu do fosso dos moinhos para a praça central quando cinco robôs selvagens saíram da água e ganharam a margem.

– Acho que não estão mais com medo de água – disse o velho Fengo, observando tudo com uma expressão de choque.

– Sabíamos que este dia chegaria – disse o chefe Charr. Ele sacou seu canhão de mão e virou-se para seu povo. – O império nos abandonou! Mas aqui é o nosso lar. Defendam-no!

Os robôs selvagens avançaram pela passarela de acesso, arrancando paralelepípedos com suas garras e esteiras enormes. O chefe Charr ficou furioso. Ajudara a deitar aquelas pedras com as próprias mãos, apenas três meses antes. Levara uma semana inteira. Perguntou-se de onde tirariam tempo para os reparos antes de chegar o inverno.

Sem palavras, riu de si mesmo pela preocupação. Cinco robôs selvagens grandes e vis feito demônios avançavam contra eles. Os membros irregulares rangiam e crepitavam, mas Charr viu que os inimigos haviam incorporado blindagem e armamento recuperados de seis das máquinas de guerra imperiais mais letais já construídas. Era quase certo que ninguém nessa aldeia viveria para ver outro inverno. Charr amaldiçoou o Rei Vermelho, rugiu algo para seus homens e abriu fogo.

A primeira onda de conchas ricocheteou nos cascos de metal dos robôs selvagens sem surtir efeito. O segundo disparo do chefe Charr acertou o robô selvagem mais próximo em cheio na boca, mas a fera apenas sacudiu a cabeça, cuspiu um pouco de faísca e continuou avançando.

– Escondam as crianças! – berrou o chefe Charr para seus homens.
– Todos vocês!
– Chefe...
– *Agora*!

Os homens correram. O chefe sacou a espada e encarou os robôs sozinho, escolhendo um para atacar. Se conseguisse fincar a espada no pescoço do primeiro robô, poderia conter o avanço dele por uns poucos segundos, talvez até empurrá-lo para o vizinho. No melhor dos cenários, ele acabaria sendo brutalmente desmembrado pelos outros três robôs, mas isso poderia dar mais tempo para mais crianças encontrarem esconderijos. Que seja. Ele gritou e ergueu a espada.

Porém, o robô da retaguarda desabou, batendo na traseira do robô que estava à frente. O robô que liderava virou a cabeça bem a tempo de ver seus companheiros ruindo e explodindo. O Cicatriz Verde apareceu em cena, brandindo a espada, e a cabeça decepada do último dos robôs selvagens caiu com um baque no chão, bem aos pés de um aturdido chefe.

••••

Charr teve que arruinar três panelas nas cozinhas para convencer seu povo a conceder hospitalidade aos visitantes, seus salvadores. Os aldeões podiam ser meros fazendeiros, abandonados por seu imperador, mas ainda assim eram imperiais de pele vermelha, e não gostavam nada da ideia de acomodar insetos e monstros nas mesas em que suas crianças comiam. Charr respeitava esse orgulho deles – sem isso, não teriam sobrevivido tanto assim. Contudo, passavam por tempos muito adversos, e ele sabia que os aldeões precisariam da ajuda desses gladiadores para sobreviver ao ataque seguinte dos robôs selvagens.

Depois que os refugiados foram todos alimentados e alocados em camas improvisadas no pátio principal e que os Gladiadores deram cabo de seu sexto porco-de-árvore assado, Charr puxou um banco ao lado do Cicatriz Verde. Charr era o homem mais alto da vila, mas se sentia como uma criança perto de Hulk. Ele reparou que estava suando, o que o deixou muito bravo.

– Cicatriz Verde, agradecemos mais uma vez pela sua assistência – murmurou ele. – E esperamos que aprecie a nossa hospitalidade. Talvez possamos discutir a possibilidade de estender esta... relação...

Hulk ficou só olhando. Charr cerrou os dentes, resistindo à vontade de limpar a testa. Porém, percebeu que estava quase sorrindo. Ele mesmo usava com seus subalternos esse olhar silencioso quando queria colocá-los no lugar deles.

O homem de pedra o salvara.

– Precisamos de um lugar para descansar e treinar por alguns dias – disse Korg. – Se não quiser tomar parte da nossa luta, pode dizer aos soldados imperiais que nós os forçamos a nos hospedar.

Charr, dessa vez, não conseguiu conter um sorriso.

– Ou vocês nos forçarão, de qualquer maneira, certo?

Agora foi o homem de pedra que ficou só olhando, calado. Contudo, a confiança de Charr lhe retornara. Os monstros queriam algo, e pareciam dispostos a pedir, em vez de apenas tomar. Aquilo podia dar certo.

– Temos um problema com robôs selvagens – disse Charr. – Os soldados do Rei Vermelho não se importam. Vocês podem ficar o quanto quiserem contanto que seus escravos...

– Escravos, não – disse Hulk.

– Seu... povo... ajude nos campos. E vocês matem qualquer robô selvagem que nos atacar enquanto estiverem aqui.

Korg e Hulk trocaram olhares. Korg voltou-se para Hiroim. O acinzentado padre das sombras inclinou-se para a frente. Algo no comportamento dele atraiu a atenção de todos. Embora falasse baixo, os aldeões ao redor da mesa ouviram tudo o que ele disse.

– Saibam disto: se alguém nos trair, será morto. E saberemos se formos traídos. Porque podemos enxergar dentro das suas almas.

– Ele está blefando, não? – sussurrou o velho Fengo.

– Por que não os trai e descobre? – murmurou Charr.

. . . .

Desde o momento em que os Gladiadores entraram na vila, Miek fora quase sobrepujado pelo cheiro acre de desconfiança e nojo que emanava dos fazendeiros. Ao se retirar da mesa, o insetívoro censurou-se por ficar assim surpreso. Passara as semanas anteriores atuando como gladiador, captando a empolgação dos expectadores imperiais nas arquibancadas. Torceram por ele. Mas Miek não devia jamais ter se esquecido do desprezo que passara a vida inteira inalando, vindo da outra espécie.

Era preciso focar, limpar as narinas e a mente para poder farejar a coisa que o trouxera para aquela aldeia, para começo de conversa. Ele deslizou por detrás das cabanas onde se cozinhava e escorregou para o depósito de lixo, no campo adiante. Suas mandíbulas não paravam de estalar. Seus olhos quase viraram para trás. E ele lamentou ao captar um cheiro tão pungente e horrendo que o fez cair de joelhos.

Sem-Nome desceu ao lado dele, pendeu a cabeça para trás e inalou profundamente.

– Posso sentir – sussurrou ela. – O cheiro continua no ar, mesmo após todos esses anos... uma *colmeia*...

Miek grunhiu. Ela o tocou no ombro com um gentil tentáculo.

– ... a *sua* colmeia...

Miek soltou um bramido agudo e perfurante.

Os Gladiadores levantaram-se da mesa, virando-se para o som, sacando as armas.

– Miek! – Elloe berrou.

Ela desatou a correr, mas quase imediatamente entendeu o que ocorria e caiu de joelhos, as mãos na testa. Os olhos de Hulk encheram de lágrimas. Um cheiro forte enchia as narinas dele. Era o cheiro de Miek, mas dolorosamente azedo e mil vezes mais forte que o de costume.

Era o cheiro da dor.

– Ele está tentando ligar-se a nós, como numa colmeia – disse Hiroim.

– Que diabos é isso? – ralhou Hulk.

– É a forma mais profunda de comunicação de Miek. Nós somos os Gladiadores. Respire fundo e deixe que ele entre.

Hulk bufou, como se para limpar as narinas. Mas seus amigos gladiadores ficaram em silêncio, solenes, de olhos fechados, respirando profundamente. Hulk resistia, furioso. Mas então sentiu a mão de Korg no ombro.

Unidos pela guerra.

Hulk fechou os olhos e inalou.

• • • •

Miek se mexeu e abriu os olhos pela primeira vez. Era apenas uma larva sem braços dentro de um ovo dourado, aninhado entre uma centena de outros ovos dourados na parede de uma cavidade escondida. Seus seis coraçõezinhos pulsavam quentes e fortes, e ele rolava e se debatia dentro de sua esfera. Dava para sentir os irmãos se agitando e girando dentro de seus ovos, e ele começou a chilrear com uma alegria vertiginosa, inexplicável. *Chegou a hora chegou a hora chegou a hora...*

As larvas descobriram suas mandíbulas. Entusiasmadas, foram mastigando até abrir um buraco nas paredes de seus ovos, depois deslizaram para uma pilha, onde se aninharam umas entre as outras numa massa redonda na base da câmara. Foram se ligando, trocando essências, marcando uns aos outros para sempre. *Irmão irmão irmão irmão, colmeia colmeia colmeia.* Finalmente, separaram-se, embora nunca mais estivessem sozinhos, e escalaram pelas laterais na parede, a fim de girar seus casulos.

Quando Miek acordou de novo, esfregou os olhos, sorriu e chilreou ao descobrir seus quatro braços e duas pernas. Mais uma vez ele se conectou a seus irmãos, que clicavam ao descobrir seus novos corpos, e todos rasgaram os cascos de papel de seus casulos para tropeçar e saltar para se juntarem pela segunda vez no piso da câmara.

Um túnel os levou até a superfície, para onde saíram guinchando de prazer ao sentir o calor do sol tocando seus cascos ainda macios. O cheiro que sentiram dessa vez tinha um tom dourado e profundo, maduro e cálido e cheio de orgulho. Seria um cheiro que para sempre reconheceriam – que permearia sua quitina, impregnado em cada molécula do ser partilhado que eram –, mas no momento ele estava ali, à frente deles, radiante de amor. Miek viu seu pai, um grande rei de colmeia com ombros duas vezes maiores que os de Hulk e imensos espetos cobrindo seu crânio enorme e o resto do casco. O pai portava uma lança tingida com o sangue de milhares de inimigos; suas mandíbulas cintilavam como a lâmina de uma faca quando estalavam. Porém, os filhos captaram o cheiro dos corações sinceros do pai e avançaram com alegria para abraçá-lo.

– Meu filho – ele sussurrou para Miek.

Os dois tocaram as antenas, e Miek sentiu-se para sempre corajoso e seguro e perfeito em sua colmeia.

– Você! Inseto!

O pai virou-se quando um guarda imperial dirigiu-se até eles em cima de um robô de guerra, flanqueado por um pelotão de soldados armados.

– Salve o imperador – clicou o pai. – Que seus gestos sejam para sempre exaltados.

– Você não tinha autorização para se reproduzir – retaliou o guarda. – E este território foi requisitado pelo imperador.

– Você me conhece, tenente Charr – disse o pai. – Sou veterano da Guerra dos Espetos. Fui alocado neste território por decreto real.

– Isso foi um equívoco – disse Charr. – Novas regras: nenhum nativo pode ter terreno dentro de mil passos de pedra da capital. Então vá embora. Ou morra.

Miek e seus irmãos não entendiam as palavras nem os cheiros de Charr, mas captaram cada frase dita pelo pai, cada nuance emocional. Entenderam que Charr os ameaçava. Mal podiam entender o conceito – tudo que conheciam era a colmeia, e a colmeia permanecia unida, para sempre. Contudo, agora, entendiam que havia outros que podiam viver fora da colmeia, e odiá-la, e até prejudicá-la. E sentiram a raiva justificada do pai, por isso clicaram suas diminutas mandíbulas.

– Pronto para lutar, Miek? – perguntou o pai.

Miek soltou um rugido baixo.

– Eu prefiro ver você viver – disse o pai gentilmente.

Miek e os irmãos zumbiram, sentindo sua raiva fervente dar lugar a uma tristeza amarelada e chilreante. Mas logo essa tristeza se foi, acalmada por um amor de ouro. O pai dera as costas a Charr, abrira bem seus quatro braços, reuniu seus filhos e os guiou morro abaixo.

– Não – disse Charr. – Como eu disse, você não tinha autorização para se reproduzir. Esta ninhada será confiscada.

O pai virou-se para Charr. Estreitando bem os olhos, o rei retesou sua carapaça e apertou bem a garra em torno da lança. Seus químicos dispararam um aviso brilhante e quente para seus filhos: *Fujam!*

A colmeia espalhou-se, aos berros, quando o pai lançou-se à frente e meteu a lança no pescoço da montaria de Charr, derrubando-a no chão numa explosão de fogo e metal. Charr rolou ao pousar no solo e correu gritar para seus homens. Os soldados empunharam as armas de raio e dispararam.

A colmeia guinchou em uníssono. O cheiro do pai vazara para o solo num caos aterrorizante de aviso e urros misturados que chamuscou as narinas de todos, para então se dissolver nas trevas de um desespero marrom-escuro. Em pânico, os irmãos se ligaram quimicamente, mas Miek perdeu o cheiro de todos quando as armas de Charr tornaram a disparar. Foi deixado apenas com o próprio cheiro – cortante, azedo, horrorizado – e, dali em diante, para sempre sozinho.

Miek na floresta, passando fome e frio.

Miek numa jaula, cutucado com gravetos pelas crianças imperiais.

Miek num beco sujo na cidade, farejando o lixo, furtando e se escondendo.

Miek algemado, acorrentado a máquinas imperiais, um escravo a trabalhar por horas e dias e meses e anos...

••••

Sem-Nome ajoelhou-se e enrolou seus tentáculos em torno de Miek, abraçando o pequeno insetívoro, que chorava aos soluços. Os Gladiadores reuniram-se em torno dele, calados, aturdidos.

— Ele se ligou a nós quimicamente — disse Sem-Nome. — Partilhou sua vida. Como se fôssemos sua colmeia.

Miek olhou para os amigos com os olhos marejados.

— Sim. *Vocês* agora minha colmeia. Então agora eu chamando vocês. Por *justiça*.

O cheiro de Miek ganhou um tom profundo e dourado, cheio de orgulho e raiva. Os Gladiadores ficaram estupefatos quando ele se levantou. O pequeno Miek uniu-se a eles como seu grande pai fizera com os filhos, protetor e autoritário.

Miek passou por eles e seguiu para as cabanas que eram as cozinhas. O chefe Charr estava na praça, murmurando algo com seus tenentes, com a mão no ombro de uma criancinha imperial.

— Você, chefe! — berrou Miek. — Você matando meu pai, meus irmãos, minha família toda! Agora você pagando!

• • • •

— Ninguém rela no meu pai! — berrou o menino que estava ao lado do chefe, os punhos cerrados.

O chefe apenas tocou gentilmente o menino no ombro e posicionou-se na frente dele. Foi com um olhar calmo e confiante que ele encarou os Gladiadores e o próprio povo.

— Não conheço esse inseto. Mas não é segredo nenhum: anos atrás, eu destruí uma colmeia bem aqui, neste vale. Foram ordens do imperador: exterminar os nativos, estabelecer domínio imperial sobre recursos vitais. Quer que eu peça desculpas? Quer uma restituição? Ótimo. Podemos conversar. Mas tudo isso são crimes antigos, desconectados das ameaças com que lidamos juntos hoje. Se lutarmos entre nós, muitos morrerão...

Sem-Nome sibilou, e Miek tilintou as garras e as mandíbulas. O chefe Charr sentiu o mesmo cheiro forte que o pai de Miek exsudara tantos anos antes. Soube, então, que o inseto jamais cederia.

– Então eu invoco o costume imperial – disse Charr. – Façamos uma prova de armas. Se o inseto concordar, somente ele e eu precisaremos lutar. O restante fica de fora. Então, independente do resultado, a aliança entre o nosso povo permanecerá. O que diz? Doze horas para prepararmos nossos corpos e almas. E nos encontramos aqui para encerrar a questão.

– Encerrar *você* – disse Miek.

• • • •

Sob um sol poente, os aldeões adentraram suas cabanas, lançando olhares perniciosos para os gladiadores e os refugiados que estavam na praça, praticando e se exercitando. Hiroim girava uma lança, demonstrando modos de atacar, sendo observado por nervosos rebeldes.

– Eu aprendi o estilo de luta dos soldados de infantaria nas primeiras Guerras dos Espetos. O ponto fraco do soldado de infantaria imperial é a garganta. Então girem, ataquem, girem, ataquem...

O chefe Charr ficou observando, muito soturno, por alguns momentos, ouvindo o velho Fengo resmungar uns palavrões. Depois foi até eles.

– Esses movimentos funcionavam dez anos atrás. Mas hoje cada vez mais soldados imperiais usam escudos. O pescoço não é mais o ponto vulnerável... mas sim os tornozelos. Deixe-me ajudar.

– Chefe, o que está fazendo? – perguntou Fengo, olhando pasmo para Charr.

– Assunto encerrado – disse Charr. – O imperador não vai nos salvar. Precisamos desses gladiadores.

– Esses gladiadores vão tentar te *matar* assim que amanhecer!

– E talvez matem mesmo. Mas então se lembrarão do que fiz por eles hoje e manterão a promessa de proteger esta vila.

Charr virou-se para Hiroim, e a praça ficou em silêncio. Hiroim assentiu. Charr aproximou-se, pegou a lança do padre e começou a demonstração.

• • • •

Miek estava furioso, estalando as mandíbulas. Imaginou-se saltando, atacando Charr pelas costas, rasgando a garganta dele com a garra e espirrando sangue pela praça toda.

– Miek. Queria dizer algo... – Korg aproximou-se de Miek gerando um pequeno ribombar. – Deixe pra lá.

– Não entendendo.

– Esse homem agora é um aliado. Deixe o que passou...

– Não. Falando dos meus *irmãos*. *Você* não entendendo.

– Eu perdi meus irmãos também, pequeno. – Korg sorria gentilmente para Miek. – *Nós* somos seus irmãos agora.

Miek ficou olhando para Korg em silêncio. Este o encarou de volta por um bom tempo, e então foi juntar-se a Hiroim e Charr. Miek o viu partir, depois se voltou para Hulk, imerso em sombras logo atrás.

– Duas-Mãos, o que você achando?

– Por que me pergunta? Você sabe o que quer. Trouxe-nos até aqui pra buscar.

– Mas o que... o que *você* estaria fazendo?

Hulk imaginou o pai de Miek rasgado ao meio, sangrando até a morte. Hulk viu Primus Vand incinerando Ronan Kaifi. Hulk viu o Rei Vermelho brandindo sua espada dourada. Hulk viu Reed Richards e o Homem de Ferro e todos os outros heróis brilhantes rindo, seus rostos e máscaras se esticando e distorcendo enquanto Hulk gritava de dor, espirrando sangue verde na areia quente da Grande Arena.

– Eu os faria pagar pra sempre.

Miek ficou encarando Hulk – inalando aquela raiva quente e verde. E sorriu, imerso na escuridão.

• • • •

Charr olhava para o filho, caminhando com ele pelos túneis logo abaixo da aldeia, com o coração lotado de um orgulho triste e doído. O menino era pequeno para a idade; apenas metade da altura do pai. Mas andava com uma seriedade solene de adulto. Charr criara o filho sozinho desde que a esposa morrera na praga do brejo, seis estações antes. Raramente via o garoto rir alto. Porém, quando não havia mais tarefas a cumprir, o menino construía pequenos fortes com pedrinhas e sorria quando o pai se ajoelhava para ajudar.

Os dois pararam no poço, onde o menino manuseou com cuidado a bomba, pela primeira vez sozinho, e encheu dois baldes.

– E virá tirar água todo dia de manhã?

– Sim, pai.

Charr levou o garoto até o arsenal e mostrou o código para destravar a tranca. Fez o menino retrancar a porta e abrir de novo duas vezes, para ter certeza de que ele aprendera. Em seguida, abriram a porta e contemplaram as lâminas reluzentes em seus suportes.

– E vai limpar as espadas e aprender a lutar?

– Sim, pai.

Na câmara inferior para a qual seguiram, estavam os animais, agachados, presos por correntes em suas abas, perto do moinho. O menino deitou água nas calhas e serviu alimento dos sacos com uma pá, evitando as garras e mandíbulas afiadas dos bichos.

– E vai alimentar os animais, e cuidar dos seus amigos, e zelar pela segurança de todos?

– Sim, pai.

Todo sujo por causa dos afazeres, com os estemas tremulando, o menino fitou o pai com olhos marejados. Charr passou a mão áspera na cabeça do menino e enxugou-lhe as lágrimas.

– Aquele que morrer, que morra honrado.

• • • •

O chefe Charr dormiu profundamente a noite toda, com seu menino encaracolado junto de si, aninhado sob o braço, protegido dos monstros que aguardavam na praça. Quando amanheceu, pai e filho lavaram o rosto em silêncio, prepararam o desjejum e comeram perto da janela, ouvindo os marabumbos brincando no fosso, cantando para atrair parceiros. Depois foram caminhando até a praça, onde alguém já havia usado areia vermelha para riscar um grande círculo. Miek, de lança denteada na mão, estava junto dos Gladiadores na orla mais distante do círculo. Os aldeões abriram caminho, solenes, quando Charr e o filho se aproximaram. Charr aceitou uma lança do velho Fengo e testou o fio da lâmina. Fez uma reverência curta, curvou-se, beijou o filho na testa e adentrou o círculo.

Miek atacou no mesmo instante. Charr quase abriu um sorriso. O inseto era rápido, mas frenético, e telegrafava cada movimento. Charr investiu no lance e posicionou-se um passo à frente do ponto que Miek esperava. O inseto meteu a lança, errou a perna de Charr, e este enroscou sua arma nos dentes da lâmina de Miek. Com um giro, o chefe arrancou a lança das mãos do oponente e a lançou para cair tilintando do outro lado do círculo vermelho.

Charr girou mais uma vez e acertou Miek na face com a ponta da lança.

Miek caiu, e Charr plantou o pé num dos quatro braços, prendendo o inseto ao chão. Charr ergueu a lança e apontou bem para a garganta de Miek. Pelas regras com as quais concordaram, ele poderia matar o inseto e encerrar a questão ali mesmo. Mas foi então que ouviu alguém respirar fundo, ergueu o rosto e viu o filho olhando para ele. O menino estava branco. Charr sentiu a dureza em seu coração rachar. Mais uma vez, ele olhou para Miek.

– Desista e viva – disse.

– Jamais – Miek rosnou.

O inseto, então, pegou a lança de Charr e puxou para baixo, enfiando a lâmina na junta que conectava o braço preso à lateral do corpo. Num giro, largou o braço decepado sob a bota de Charr. O chefe sentiu que perdia o equilíbrio e, subitamente, estava deitado no chão, com o inseto sentado em cima do peito, com a lança apontada para a sua garganta.

O filho de Charr berrou.

• • • •

Miek congelou.

Sentiu a agonia emanando do pai que jazia ali debaixo. E retraiu-se perante a lembrança do amor doído de seu pai. Que injusto. Tão perto. Injusto injusto...

O filho de Charr chorava muito. O cheiro do medo do menino cortou como uma faca os corações de Miek.

Miek largou a lança e cambaleou para longe do chefe. Korg foi até ele, mas Miek tropeçou sem enxergar nada pela borda do círculo vermelho e caiu de joelhos sozinho, largou-se no chão e soltou um urro pungente e animalesco de dor inconsolável.

O urro ecoou por toda a aldeia. E pareceu reverberar, sublevando-se de baixo, em coro. Uma dúzia de urros entrelaçados ergueu-se no ar, fazendo o chão tremer.

Miek ergueu o rosto, assustado. Hulk olhou para ele – intrigado, tentando ouvir – e aproximou-se.

– Não é nada – disse Charr, levantando-se, com um lampejo de pânico nos olhos. – São só os estábulos. Os animais...

Hulk olhou para o chão, depois varreu um bom montante de areia, revelando diversas placas enormes de pedra intercaladas. Uns poucos aldeões, em pânico, correram para ele e tentaram puxá-lo dali, mas ele apenas empurrou-os para longe, mergulhou os dedos nas rachaduras da beirada do maior pedaço de pedra e o ergueu do chão. A luz do sol invadiu uma câmara ali debaixo. E os animais, em suas baias, piscaram, agitaram suas correntes e estenderam as mãos para a luz.

– Miek! – gritaram, estalando as mandíbulas. – Irmão Miek!

Os corações do insetívoro pularam de susto. Seu corpo reagiu antes mesmo que o cérebro pudesse entender o que estava acontecendo, e ele cambaleou para a frente, a visão borrada de lágrimas. Mas a química de seus irmãos o guiou para casa. Ele tombou da praça para o buraco e chorou de alegria e dor ao ser invadido pelo odor dos irmãos. Havia apenas uma dúzia deles – pequenos, atrofiados, pouco maiores do que larvas. Apenas doze restaram da centena que saíra dos ovos tantos anos antes. Arrastados do local da chacina, escravizados e acorrentados na escuridão abaixo para trabalhar no moinho por anos e anos...

Mas ali estavam. Os irmãos, a colmeia perdida, irradiando o mesmo cheiro cálido que ele jamais sonhara sentir de novo. Para sempre juntos, para sempre separados, agora juntos mais uma vez.

E então Miek, o Com-Colmeia, não mais Sem-Colmeia, virou-se e olhou para o chefe Charr com um olhar duro e gelado.

· · · ·

Dez horas mais tarde, o conselheiro Denbo acenou para que seu batalhão parasse quando avistou a mancha de fumaça acima de An-Toba. Caiera, a Fortaleza, assumiu a dianteira, trotou pelos campos chamuscados e saltou com suavidade por cima do fosso para chegar à aldeia de fazendeiros destruída. Aldeões atabalhoados cambaleavam por entre cinzas e brasas. O chefe Charr – machucado, atordoado, já sem a armadura – estava ajoelhado com o filho nas ruínas de um celeiro, pescando com cuidado grãos do meio da terra.

– Bom garoto – Charr murmurava toda vez que o filho jogava uma semente na panela.

Mas o menino apenas assentia, calado, e continuava trabalhando, sem jamais olhar para o pai nos olhos.

– Chefe. Você viu o Cicatriz Verde? Ou qualquer outro dos monstros dele? – perguntou Denbo.

– Monstros? – perguntou o chefe.

Ele ergueu os olhos. Seu rosto distorcido, refletido na armadura peitoral de Denbo, olhou de volta para ele. Viu, então, o filho logo atrás, no reflexo, finalmente erguendo o rosto para olhar para o pai com um receio silencioso. Charr sentiu um peso no peito, como se alguém tivesse botado ali uma pedra.

– É só isso que eu vejo – disse.

7

EM CADA UM DOS SEIS DIAS CORRIDOS desde a fuga do Cicatriz Verde, o imperador enviou seus jardineiros reais para a Grande Arena, para dar cabo das vinhas de eleha'al. Os jardineiros cortaram, cavaram, envenenaram e queimaram. Mas a cada manhã as vinhas verdes retorcidas retornavam, mais grossas e viçosas do que antes. Por volta da metade do sétimo dia, as vinhas tinham infiltrado as rachaduras na fundação da Grande Arena, e outra grande porção da parede norte desabou.

Os andarilhos começaram a adentrar a cidade no oitavo dia. Chamavam-se de "peregrinos" e ajoelhavam-se e rezavam e cantavam perante as vinhas. O Rei Vermelho os observava de sua torre, inconformado, achando ridículo e repugnante. Mas quando seu bibliotecário-chefe leu para ele as passagens dos Tomos que aquelas pessoas entoavam, o sorriso sumiu de seus lábios.

> *O Filho de Sakaar sangrou.*
> *A eleha'al cresceu.*
> *E as Grandes Pedras ruíram.*

O Rei Vermelho mandou soldados correrem atrás dos peregrinos. Contudo, como as vinhas, eles retornavam todo dia – em maior número. Então o rei ordenou que seus homens prendessem os arruaceiros no calabouço. E, no entanto, outros deles apareciam para rezar perante as vinhas a cada manhã.

No décimo dia, um soldado entrou em pânico e disparou sua arma durante uma operação de evacuação. No caos que se seguiu, o pelotão do soldado chacinou 33 peregrinos.

No décimo primeiro dia, rebeliões estouraram por toda a cidade. Algumas configuraram ataques organizados por insurgentes treinados que tiraram vantagem da inquietação gerada pelo massacre. Outras foram atos espontâneos de resistência da parte de trabalhadores comuns e civis. Um incidente particularmente preocupante envolveu o assassinato de um comandante por seus subordinados, que se uniram a um grupo de insurgentes para tomar o controle da Grande Arena, declarando ser esta um território livre por ser local sagrado para o Filho de Sakaar.

No décimo segundo dia, o imperador vestiu sua armadura dourada, pegou a espada e desceu para a Grande Arena, onde incinerou pessoalmente cada peregrino, rebelde e vinha de eleha'al que viu pela frente.

E depois matou os jardineiros.

Contudo, no décimo terceiro dia, as vinhas cresceram de novo.

••••

Hulk poderia ter impedido Miek e seus irmãos de atear fogo em An-Toba. Em vez disso, ficou apenas assistindo, montando guarda junto de Korg e Hiroim em cima do chefe Charr – que ficou sentado na praça, abraçado ao filho, que chorava, cercado por seu povo, todos aterrorizados. Miek e seus irmãos, acompanhados de Sem-Nome e Elloe, percorreram a cidade esmagando tudo que podiam quebrar e incendiando tudo que podia queimar. O velho Fengo murmurou um apelo débil a Elloe, implorando que tivesse piedade por imperiais como ela. Com um tapa, ela afastou aquelas mãos enrugadas dele e o jogou ao chão com um chute.

– Vocês escravizaram aqueles bebês nativos! – ralhou ela. – Prenderam-nos no subsolo por anos! E todos vocês sabiam! *Todos vocês!*

– São *apenas insetos*! – gritou Fengo.

Os insetos chilrearam de medo e raiva. Os olhos de Hulk se acenderam. Os químicos de Miek pairavam no ar, e Hulk sentiu a fúria da colmeia percorrer suas veias. Doze estações de horror emanavam das cinzas. As correntes esfregando os punhos até cortar. O desespero quieto ao andar em círculos por horas a fio, girando a grande roda que fazia funcionar o moinho. A agonia sofrida quando um fazendeiro irritado usou um ancinho para içar o corpo de um dos irmãos da sepultura improvisada que tentaram cavar na cela, para então jogar o cadáver no vagão de compostagem.

Mas antes que Hulk rugisse de ódio, Elloe acertou Fengo bem no rosto com as costas da mão, quebrando o nariz dele e o arremessando para longe, até cair no chão. O filho de Charr soltou um berro grave e esquisito. Elloe congelou, de punhos cerrados, olhos fixos no velho encurvado na areia. Então o cheiro adocicado demais de grãos tostados soprou sobre a praça, vindo dos campos em chamas, e Hulk virou-se e saiu andando. Elloe seguiu-o, o rosto inexpressivo, sem olhar para trás.

Korg chamou os demais com uma voz forte e rouca. E em pouco tempo todos os rebeldes e refugiados foram acompanhando Hulk, deixando as planícies para trás. Miek e seus irmãos foram os últimos, no começo tensos e emburrados, orgulhosos e tristes e furiosos. Mas ao deixar para trás a aldeia, viram o céu claro e sentiram o cheiro de grama nova e a brisa fresca bater no rosto. Logo estavam estalando e brincando, rindo e tropeçando ao marchar.

– Aonde vamos agora? – perguntou Korg.

Elloe tomou a dianteira, ultrapassando Hulk, e apontou para o leste. A raiva estava forte em seu sangue e ossos. Miek tinha se vingado; agora era a vez dela.

– Podemos chegar às montanhas pelo cair da noite e nos abrigar nas cavernas. E, então, por volta do meio-dia de amanhã, chegaremos à Boca.

. . . .

Primus Vand se deu conta de que os Gladiadores tinham retornado quando seu disco flutuante explodiu sob seus pés, e ele despencou de quinze metros de altura, quebrando a perna bem no meio de uma arena de treinamento na qual uma nova remessa de possíveis gladiadores lutava até a morte. Ele girou, erguendo o cajado de obediência para defender-se, mas Elloe chutou-o bem nos dentes e arrancou o cajado das mãos dele. Em seguida, apontou-o para os escravos chocados na arena.

– Vamos lá. Matem-no – disse ela, com o dedo no painel.

No entanto, Hulk arrancou o cajado das mãos dela e o esmagou em pedaços.

– Estão todos livres – disse ele aos escravos.

E virou-se para Elloe, olhando feio.

– E que vá pro inferno quem tentar escravizar vocês de novo.

– Primus Vand matou o meu pai, e sabe-se lá quantos outros! – Elloe gritou. – Ele merece morrer!

– Então o mate você mesma.

Elloe olhou para Primus, sentado quieto na areia. Ele não sentia a perna quebrada, e o queixo doía, provavelmente fraturado. Contudo, ele fez questão de devolver o olhar de Elloe. Sabia, por experiência, como era difícil matar um homem indefeso quando este olhava o outro nos olhos, não importando o que tivesse feito no passado. Primus levara anos para dominar essa habilidade. E Elloe estava lutando fazia apenas um mês.

Elloe tomou fôlego rapidamente, girou e chutou Primus na cabeça. Ele desabou no chão, mas com um sorriso discreto nos lábios. Elloe atacou mais uma vez. Mesmo assim, Primus não parou de sorrir – mesmo desmaiando, sabia que continuava vivo.

• • • •

Depois que Hulk esmagou os cajados de obediência de todos os guardas e que Hiroim arrancou os discos de obediência de todos os escravos, metade dos gladiadores libertados fugiu para as colinas. Metade uniu-se ao bando de Hulk. Puseram selas nos dramutes, encheram as carruagens com armas e suprimentos, e cobriram a distância seguindo para as Estepes do Norte.

– Terra de ninguém – disse Hiroim. – Protegida pelo Tratado das Sombras. O império não nos seguirá até lá. Mas, desde a Guerra dos Espetos, não passa de um deserto. Nada cresce lá, a não ser espinhos. Nada vive lá, a não ser monstros.

Hulk assimilou aquele território remoto, varrido pelo vento, e pensou no deserto no qual nascera, na Terra. Milhares de quilômetros de espaço aberto. Nem um único humano fracote à vista.

– Já me sinto em casa – disse.

No momento em que disse a palavra, a imagem passou pela cabeça. Uma fileira de prédios baixos ao longo de um rio tranquilo. Imperiais, nativos e sombras lado a lado, trabalhando nos campos e jardins. Criancinhas correndo atrás de sementes flutuantes nas planícies. Os Gladiadores rindo, retornando de uma caça. Miek e Elloe, calmos e felizes finalmente, cutucando a fogueira e preparando o assado. Ele mesmo, Hulk, sentado em silêncio na grama alta, admirando os campos, à espera de alguém... de alguém...

– Espere... – disse Miek.

Os irmãos dele ecoaram o aviso, curvando-se e farejando.

– Espere... espere... espere... espere...

– Que foi? – perguntou Korg.
– Vozes no ar – disse Miek. – Chamando... *clic* chamando a gente...
Ele apontou para a serra mais ao sul.
– Esqueçam – disse Hulk. – Nós vamos para as Estepes.
– Ainda não – disse Miek.

• • • •

Durante três horas, Miek e Sem-Nome seguiram o cheiro no ar, guiando a coluna ao longo da borda das Estepes, na direção das montanhas. Uma vez protegidos pelas árvores na base de um planalto, os Gladiadores deixaram os refugiados que não combatiam ali e puseram-se a correr.
– Lá no alto! – sibilou Miek, apontando para um morro.
– Cuidado! – disse Hiroim.
Todos agacharam, protegidos pela camuflagem das árvores, e espiaram por cima do morro.
Nos cânions abaixo, estava o conselheiro Denbo assistindo, com toda a aprovação, ao chefe Charr meter uma bala na cabeça de um nativo de casco azul amarrado. O nativo desabou no chão, e seu sangue espalhou-se por entre vinte outros nativos assassinados.
– É isso que acontece com quem trai o seu imperador! – berrou Denbo para todas as paredes do cânion. – Esses insetos nunca deram trabalho. Você não os conhecia; eles não conheciam você. São apenas mais uma colmeia escrava em outra vila, como centenas de colmeias escravas de aldeias de todo o Império. Mas hoje eles ouviram falar do que você fez. E fugiram de seus mestres. Então, veja!
Denbo chutou o crânio do nativo morto mais próximo.
– Veja o que você nos forçou a fazer!
O chefe Charr olhava sério para o alto do morro. Denbo cutucou-o, e Charr disparou mais três vezes nos cadáveres dos nativos.
– É isso que acontece quando deixamos esses malditos viverem – disse Elloe, com o rosto ficando rosa de tanta raiva.
– Hora de pondo um fim nisso. Hora de pondo um fim neles todos – rosnou Miek, com lágrimas escorrendo pelo rosto.

– Acalmem-se – disse Hiroim. – É a mesma armadilha de antes. Estão tentando nos enraivecer, nos atrair para aquela passagem estreita no cânion.

– Eles chorando, irmão Miek – choramingou um nativo.

Os outros ecoaram as palavras dele, emanando químicos e se lamentando.

– Chorando... chorando... chorando...

– Pronto, pronto – disse Miek, afagando-os nos cascos. – Ninguém mais *clic* chorando...

Miek olhou para Hulk com olhos ferozes e marejados.

– ... só *esmagando*.

Hulk respirou fundo, demoradamente. Pensou nas Estepes. O lar junto do rio. As crianças brincando nos campos.

– Unidos pela guerra, Duas-Mãos – disse Miek.

– Para o que der e vier – disse Korg.

Hulk fechou os olhos e deixou a raiva tomar conta.

• • • •

O conselheiro Denbo sorriu quando o poderoso rugido de Hulk rasgou o ar e os rebeldes começaram a descer a toda pela parede mais distante do cânion.

– Viu só? – murmurou. – Nada de *estratégia*. Apenas *raiva*.

Denbo acenou para a equipe de munição. A encosta explodiu, arremessando um terço do exército do Cicatriz Verde para o ar com a primeira bola de fogo. O restante ficou imóvel de choque, vendo a avalanche de pedras que despencou sobre eles.

Os lábios de Hiroim entoaram orações silenciosas enquanto com os braços ele pescou três nativos e saiu correndo para escapar das pedras que caíam. Os nativos abriram o berreiro. Hiroim foi falando os versos em voz alta, saltando de rocha para rocha, ensinando-os do mesmo modo como fora ensinado quando criança. Logo, os coraçõezinhos dos insetívoros começaram a se acalmar.

Filho de Sakaar, escute o meu apelo.
Nossos inimigos são fortes.

Eles nos queimam com suas chamas.
Eles nos ferem com suas pedras.
Porém, embora movam céus e terra contra nós,
você carrega as próprias montanhas nas costas
com as quais atacaremos o inimigo.

Hiroim pousou ao lado de Hulk e Korg na base da encosta. Não tinha sido rápido o bastante – sabia que as rochas os atingiriam num instante. Mesmo assim, sentiu sua fé espalhando-se por ele como um fogo cálido.

– Vejam – disse ele aos nativos.

Hulk e Korg grunhiram, fincando as mãos no solo. Os dois ergueram um pedaço massivo de pedra, defletindo a avalanche, botando as pedras para despencar para cima dos homens de Denbo, no vale lá embaixo.

– *Você carrega as próprias montanhas nas costas* – sussurrou Hiroim.

– *Com as quais atacaremos o inimigo* – ecoaram os nativos.

Miek avançou por entre brasas e pedras caídas. O chefe Charr virou-se e ergueu o canhão de mão. Os dois se encararam fixamente. Em outra vida, talvez Charr tivesse uma história para contar, uma explicação, quem sabe até desculpas. Mas seus olhos estavam duros e frios, como se ele tivesse se reconciliado com o que pensara ser o certo a fazer, muito tempo antes. Ele não disse nada, apenas soltou dois disparos, que voaram longe. Então a lança de Miek o acertou debaixo das costelas e passou rasgando tudo pelos pulmões para sair debaixo da omoplata. Enquanto Charr caía, Miek o fatiou com espadas pelos dois lados. E quando o corpo de Charr tocou o solo, Miek o apunhalou mais três vezes.

– Basta, Miek – disse Korg, aproximando-se do amigo, imerso em pó. – Acabou.

– Acabou? – disse Miek.

O inseto virou-se para os soldados imperiais, acossados junto da parede oposta do cânion, todos largando suas armas. Denbo ergueu duas mãos trêmulas.

– Nós nos entregamos! – berrou.

Miek não ouvia nada além do sangue que passava a toda velocidade por seus ouvidos, e não sentia cheiro algum além do fedor dos nativos que os soldados haviam chacinado.

– Fazê-los pagando para sempre – disse Miek.

Elloe soltou um riso agudo e esquisito. Miek atacou, mirando a lança, seus irmãos ao lado. Denbo cambaleou para trás e caiu no chão. Miek saltou e ergueu a lança no ar.

Hulk, porém, avançou, abriu bem os braços e juntou as mãos numa potente palmada sônica que lançou Miek e seus irmãos para trás, voando pelos ares. Miek pôs-se de pé rapidamente, agarrou a lança perdida e virou-se mais uma vez para Denbo. Contudo, Hulk estava agora entre ele e os imperiais. Elloe fitou Hulk com fúria e protestou soltando um grito primal. Miek atacou, lança aprumada, mas Hulk nem vacilou. A lâmina do inseto mergulhou no peito dele, e o cabo se partiu nas mãos de Miek. Hulk ficou ali parado, imenso e imóvel, com Miek curvado bem à frente.

– Por que você *clic* me impedindo, Duas-Mãos?

– Você já devia saber por que, pequeno – disse Korg, muito solene.

Miek olhou para eles, embasbacado, furioso. Os amigos tinham jurado ficar do lado dele, tinham partilhado de seu cheiro, tinham marchado nesta missão de vingança, e *agora* se continham e o censuravam por não saber de regras a que ele jamais fora apresentado? Furioso e tomado pelo pesar, Miek encarou Hulk bem nos olhos.

– Tudo que eu sabendo é o que você ensinando.

• • • •

A Cidade da Coroa estava em chamas. Caiera observava as coberturas dos edifícios, vendo tudo da parede exterior do palácio, sacudindo a cabeça de tanto desgosto, mas não de surpresa. O modo particular com que o Rei Vermelho exercia a liderança sustentava apenas uma aparência de lei e ordem. Quanto mais pessoas você mata, mais calados ficam os rebeldes. Contudo, eles vão se multiplicando nesse silêncio sangrento, até que surja uma oportunidade...

Soldados imperiais em pânico fugiam dos insurgentes que derrubavam as barricadas erguidas para bloquear a via principal que dava no palácio do imperador. Caiera meandrou-se por entre os insurgentes, vindo de trás, brandindo o cajado de duas lâminas, e derrubou quatro rebeldes, contendo o avanço do grupo. O resto virou-se e fugiu para esconder-se atrás das enormes colunas que ladeavam os jardins públicos ao longo da avenida. Caiera foi até eles, mas parou quando avistou um punhado de adolescentes, aterrorizados e exaltados, espiando-a por detrás das colunas, com pedras e paus nas mãos. Tirando vantagem da distração, os insurgentes deram a volta pelo outro lado das colunas e dispararam flechas em Caiera pela lateral. Com um movimento das lâminas, a guerreira derrubou as flechas em pleno ar. Os adolescentes, pasmos com o que viam, começaram a arremessar suas pedras.

– Vão pra casa, seus imbecis! – berrou ela. – Escondam seus rostos e não voltem nunca mais!

O pelotão de soldados imperiais investiu contra os arqueiros. Porém, o rugido de minijatos rasgou o ar, e uma grande pluma de fogo desceu dos céus para incinerar tanto arqueiros quanto soldados. Os adolescentes, aos berros, saíram correndo quando viram o Rei Vermelho descendo do alto, soltando fogo pelas mãos.

– Fortaleza! – berrou um tenente, correndo até ela, em pânico. – Ele está matando tudo que vê pela frente! Você tem que detê-lo!

Chamas engoliram o tenente. A gargalhada do imperador ecoou por toda a cidade. Os adolescentes, atrás das colunas, aninharam-se uns nos outros, aos gritos.

Caiera ajoelhou-se perante as crianças, de costas para o imperador, e deitou a palma da mão no solo. As pedrinhas ao redor da mão dela sacudiram, e o chão tremeu e se abriu numa grande rachadura, com um rugido intenso, pois a guerreira convocara o Poder Antigo que lhe concedera sua alcunha. As crianças gritaram e saíram correndo quando as colunas ao redor caíram e se estilhaçaram.

Caiera levantou-se e encarou o imperador.

– Acabou, sua graça. Eles não o incomodarão mais.

– Mas é *claro* que me incomodarão, sombra – disse o imperador. – Ainda estão *vivos*, porque você preferiu fazer um número de *mágica* em vez de simplesmente *matá-los*. Agora saia da frente.

Caiera continuou a encarar o rei. Não mais usava um disco de obediência. Mesmo assim, ainda tinha de obedecer, em honra do tratado acertado por seu povo. No entanto, pensava, podia demorar-se. Ela se virou lentamente para as crianças, que se espremiam na imensa rachadura que a guerreira abrira na parede, atrás das colunas. Se levasse mais cinco segundos para deixar o campo, os adolescentes talvez tivessem a chance de alcançar o bloco seguinte e esconder-se nas galerias reais. Mas ela sabia que não seria o bastante. O Rei Vermelho já os avistara. Não ficaria satisfeito enquanto não visse os corpos de todos se contorcendo sob suas chamas.

Mas então ela viu uma silhueta familiar cambaleando pela rua, na direção deles, esfarrapada e ensanguentada.

– Conselheiro Denbo! – disse ela. – Onde está a sua armadura? E onde está o seu exército?

• • • •

Denbo fitou a guerreira com olhos esbugalhados e esquisitos. Como um estranho observando-se de fora, ele pensou no que iria dizer. Todo o cálculo e a afetação com que se portava tão cuidadosamente foram dele retirados. Não fazia ideia do que lhe restava até que sua boca se abriu e as palavras escaparam.

– Como prometeram as antigas rimas – disse. – *Ele carrega as próprias montanhas nas costas.*

– Quem? O Cicatriz Verde?

– Ele não é o Cicatriz Verde – disse Denbo.

Um riso baixinho escapou de seus lábios enquanto a mente recapitulava o tolo mês pelo qual passara em sua tola vida. Ele viu o imperador flutuando acima e ficou maravilhado com a versão de si mesmo que, até o dia anterior, ansiara tanto por banhar-se no apreço daquele rei infantil. Analisando cada palavra, morrendo de medo de dar um passo em falso, mimando ridiculamente um ego imaturo, tudo isso o tornando cada vez mais tolo, a cada segundo que devotava para tal esforço. Fizera tudo por poder. Mas agora sabia a verdade.

– Ele é o Filho de Sakaar – disse Denbo, e uma paz imensa preencheu seu coração.

O Rei Vermelho rosnou, disparou chamas pelas palmas das mãos, e Denbo contorceu-se e pegou fogo.

– Que a palavra se espalhe por todo o mundo – explodiu o Rei Vermelho, o rosto ficando ainda mais vermelho conforme ele girava lentamente em pleno ar. – Eu sou ele! O Herói Protetor! O libertador do povo! O único e verdadeiro Filho de Sakaar!

Essas palavras ecoaram pela cidade silenciosa. Somente o crepitar das chamas entre as ruínas respondeu. Lentamente, o rei desceu para perto de Caiera, a Fortaleza.

– Vá, Sombra. Vá matar o Hulk.

Caiera deu meia-volta e deixou para trás a cidade silenciosa. O imperador flutuou de volta para a torre. Os cidadãos esconderam-se em suas casas escuras e lá permaneceram pelo resto da noite, mal ousando fazer ruído. O corpo carbonizado do conselheiro Denbo ficou largado na rua por dois dias, até que porcos selvagens de rua deram cabo dos ossos e um vendedor de bugigangas levou os pregos das botas e o punho da espada.

••••

Na borda das Estepes, Miek agachou numa encosta e ficou observando o acampamento de refugiados, na planície. Soprava um vento frio, e começou a nevar. Os imperiais aninhavam-se em busca de calor em pequenos e fatigados grupos, em barracas e cabanas. Porém, os irmãos de Miek zanzavam no topo de um morro, pegos pelo vento, andando em estranhos círculos sem sentido, zumbindo e clicando uns para os outros.

Korg sentou-se pesadamente perante uma fogueira, ao lado de Hulk e Hiroim, e soltou um suspiro.

– Encontramos Primus e os outros prisioneiros mortos – disse. – Degolados. Ninguém disse quem fez. Elloe apenas riu quando perguntei a ela.

– Por que não rindo? – disse Miek, virando-se para os outros e olhando feio. – Eles merecendo.

– Isso não importa – Hiroim disse baixinho. – Todo gesto feito por raiva se volta contra nós.

– Mas aqueles rosinhas fracotes matando, matando, matando e matando! Nós temos que impedindo, ou eles matando todo mundo pra sempre!

– Sim – disse Hiroim. – Mas, mesmo assim, pagamos o preço.

Miek olhou de Hiroim para Hulk. Este apenas manteve o olhar fixo no fogo. Miek deu meia-volta e marchou furioso pela neve para junto dos irmãos.

– Irmão Miek! – disseram os nativos, ainda circulando daquele jeito estranho.

– Irmão Miek!

– Você está...

– Você está sentindo?

– Esse cheiro, irmão Miek.

– O cheiro chamando.

– Você... você...

Miek ajoelhou-se em meio à colmeia, ergueu o rosto para o vento e captou pesar e anseio. O químico vinha de sua colmeia; dos nativos mortos no cânion; de centenas, talvez milhares de outros insetos estendendo sua vontade de ligar-se por toda a região das Estepes, liberando químicos no vento.

– Sim. Chorando e morrendo – disse ele. – E chamando...

– Chamando você – disse Sem-Nome, num estalar delicado. – Chamando você... Miek, o Sem-Colmeia, que se impôs e lutou. Miek, o Com-Colmeia, que salvou seu clã. Chamando você...

– Pedindo que mude – sussurrou um dos insetinhos.

Miek fechou os olhos. Devia estar tremendo de tanto frio. Porém, o produto químico acionara mecanismos em seu sistema límbico, ativando reações químicas nas profundezas do organismo que disparavam um calor pinicante para cada nervo e músculo. Miek cruzou os braços, pendeu a cabeça para a frente e liberou sua mente consciente, enquanto seu corpo se punha a tecer um enorme casulo.

8

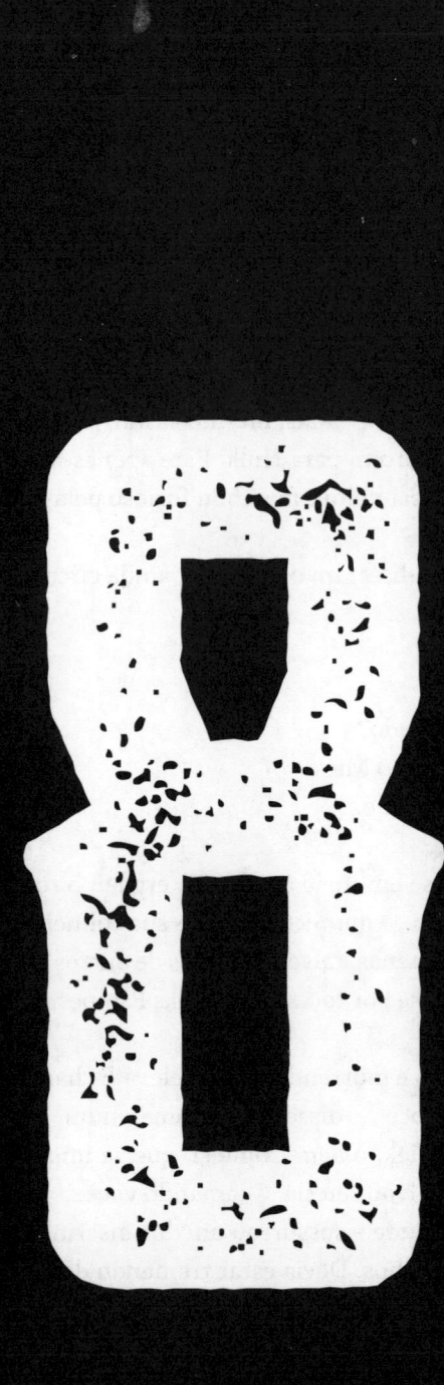

PELO AMANHECER, Hulk observava as Estepes do alto de um morro coberto de neve. Flexionando as pernas, testou a potência dos músculos. Não estava nem perto de sua força total, mas ficava mais forte a cada dia. Quando pousara em Sakaar, mal podia saltar uns seis metros. Agora, bastava agachar e saltar para cobrir mais de quinze quilômetros em trinta segundos. Se tivesse uma hora, poderia ir parar tão longe que ninguém mais o encontraria.

O quinto prefeito da Insurgência Democrática Sakaariana desceu do céu num disco flutuante, colidiu com um banco de neve e correu pela neve até Hulk.

– Cicatriz Verde! – berrou ele. – Os batedores têm novidades! Centenas de escravos e rebeldes estão se revoltando na Cidade da Coroa, e em seu nome! Esmagando os guardas, enfrentando o próprio Rei Vermelho! Chegou a hora! Devemos retornar e lutar!

– Pode ir – disse Hulk.

– Cicatriz Verde...

– Não sou Cicatriz Verde. Sou Hulk. E tudo que o Hulk sempre quis... foi que as pessoas o deixassem na dele.

O quinto prefeito gaguejou, procurando o que dizer. Korg avançou pela neve e pôs a mão no ombro do homem, a fim de tirá-lo dali.

Porém, ele se soltou e berrou.

– Você não pode parar agora! Nós lutamos por você!

– Lutaram por si mesmos – disse Hulk.

– Porque você sangrou, e as vinhas verdes cresceram! Porque você carregou as montanhas nos ombros! Por que você nega quem você é?

– Eu sei exatamente quem eu sou – disse Hulk.

Ele se virou para o prefeito, finalmente olhando de frente para ele, mirando-o com seus olhos verde-escuros.

– E se você tem alguma coisa aí dentro da cachola, vai calar essa boca e me deixar ir embora, ou mato todo este seu planeta idiota.

– Quebra-Mundos – sussurrou o prefeito.

E correu tapar a boca com a mão, como se assustado por ter dito isso em voz alta. Hulk deu as costas para o prefeito e saiu andando em direção às Estepes.

Porém, a voz de Miek ressoou, estranha e grave.

– Você não indo a lugar nenhum!

Uma onda de chilrear disparatado e contente erguia-se dos insetívoros, que acompanhavam Miek encosta acima, na direção de Hulk. Eles clicavam as mandíbulas e batiam as espadas contra os cascos. Miek estava muito mais alto que todos. Finalizada a metamorfose, ele estava imenso, com ombros duas vezes maiores que os do Hulk, a grande carapaça coberta de espetos e as três mãos remanescentes portando lança, clava e escudo.

– Irmão Miek! – clamaram os nativos.

– Irmão-herói Miek!

– *Rei Miek!*

Um novo odor emanava de Miek, uma mistura defumada de orgulho e raiva. Hulk começou, por instinto, a analisar o inseto, avaliando suas vulnerabilidades, escolhendo possíveis pontos para atacar. Cerrando os punhos com força, ele trocou o apoio das pernas quase sem perceber, preparando-se para avançar. Logo percebeu o que seu corpo estava fazendo e esforçou-se para enfrentar a raiva.

Não não não não não...

– Não tente me impedir, Miek.

– Ele não é mais só o Miek! – berrou um dos insetinhos.

– *Herói* Miek! *Rei Miek!*

– Então que *ele* lute por vocês – disse Hulk. – Pra mim já chega.

– Não, Duas-Mãos – disse Miek. – Para matando o *Rei Vermelho*, nós precisando de você.

Miek baixou a lança e estendeu uma imensa mão cheia de garras para Hulk. Seu odor ficou cítrico e picante. Implorando.

– Unidos pela guerra, Duas-Mãos. Lutando pelos amigos.

Miek gaguejava e estalava. Hulk olhou-o em seus olhos suplicantes. Os nativos podiam estar chamando Miek de rei. Dentro daqueles olhos, no entanto, Hulk viu o mesmo inseto que conhecera antes. Ainda tão furioso, e ainda se espelhando nele, chamando, pedindo e cobrando e insistindo e implorando e...

– Você não entende? – Hulk soltou. – Não vai parar nunca!

Miek agarrou-se em Hulk para impedir que fosse embora, fincando as garras no ombro dele. Hulk soltou um grunhido e afastou o inseto. Miek cambaleou para trás, perdendo o equilíbrio. Por um momento, ficou balançando sobre o casco das costas, imenso e ridículo, as pequenas pernas clicando desajeitadas – todo o seu novo poder e dignidade perdidos num instante.

– Você não está me *ouvindo*! – berrou Hulk. – Eu disse que pra mim *já chega*...

Os nativos guincharam e atacaram, fincando as lanças em Hulk, mordiscando-o com garras e mandíbulas. Ele rugiu, girou e arremessou aqueles corpos, que saíram voando para todas as direções. Então o fedor de raiva e fogo espalhou-se pelo ar, e Rei Miek subiu em cima dele, metendo garras em seus olhos e pescoço, e mergulhou a lança bem no fundo do peito de Hulk.

Desde que pousara em Sakaar, nada o machucara tão seriamente. Nem o demônio. Nem a espada do Rei Vermelho. Nem as bombas letais. Miek berrava, batendo mandíbulas enormes a poucos centímetros do rosto de Hulk. Aquele "não" pequeno e discreto urrava, lá no fundo, dentro de Hulk. Porém, ele sentiu a raiva espalhando-se pelos músculos, sobrepujando o cérebro, e logo tudo o que podia ouvir era o martelar de seu coração furioso.

Hulk esmagou o rosto de Miek, rachando a placa da bochecha dele e o arremessando para cavar uma trincheira de mais de cinco metros na areia. Os insetinhos avançaram para proteger seu rei, mas a força do rugido de Hulk os derrubou de ponta-cabeça. Miek girou, sibilando, e ergueu a lança partida.

A visão de Hulk foi borrando quanto mais seu coração martelava. O rosto de Miek contorceu-se, ficando mais monstruoso. Hulk ergueu os punhos e rugiu tão alto que a camada superior de neve e gelo explodiu para o alto num raio de quinze metros em torno dos dois.

Mas Hulk bateu com os punhos na pedra amarela. Korg dera um mergulho para absorver o golpe. Ele ficou largado no chão, aos pés de Hulk, o rosto trincado. Uma linha fina de sangue kronano descia pela bochecha.

– Chega – disse ele. – Deixe o Miek caçar o Rei Vermelho, se quiser. Mas você, Pele-Verde... você tem que parar.

– Tá brincando, Korg? – disse Miek, erguendo-se com dificuldade.

Hulk encarou Miek, sentindo o sangue vazar pelos nós dos dedos rachados. Miek pendeu a cabeça e captou pelo odor o sangue e a raiva de Hulk, que alimentou com sentimentos seus, e sorriu.

– Como ele pode *parando* o que ele *começou* a fazendo?

• • • •

Korg e Hiroim caminhavam por entre os refugiados, ajudando-os a juntar seus pertences e a proteger o rosto do vento e da areia das Estepes. Uma dupla de imperiais ajoelhados respeitosamente no solo fino usava espadas quebradas, com muito cuidado, para desenterrar uma vinha de eleha'al sem danificar as raízes. Hiroim os observou com uma soturna mistura de admiração e receio. As Estepes eram praticamente um deserto desde as Guerras dos Espetos. Porém, agora, as vinhas de eleha'al retornavam, assim como os Tomos predisseram. Hiroim viu quando os refugiados começaram a rezar acima da vinha e resistiu à vontade terrível e blasfema de juntar-se a eles. Hiroim era um padre de verdade. Conhecia os perigos da falsa profecia. Mas não pôde negar a flor de esperança que brotou bem no fundo do peito.

– Miek está errado – grunhiu Korg. – Hulk devia vir conosco para as Estepes.

– Pra fazer o quê? – perguntou Elloe, com um sorriso sarcástico. – Erguer uma plantação? Criar uma família? Não.

Ela viu Hulk e Miek caminhando junto da fileira de guerreiros nativos e imperiais ao longo da fronteira das Estepes. Sem-Nome voava acima deles, sibilando sua aprovação para os rebeldes, que sacudiam suas lanças.

– O Cicatriz Verde vai para a guerra.

• • • •

Antes de se separarem, os dois grupos se encontraram uma última vez na planície fronteiriça às Estepes. Korg elogiou o heroísmo de todos, a força dos refugiados e a bravura dos guerreiros. Falou de diversos caminhos, da importância de enfrentar o passado e construir o futuro simultaneamente. Porém, os refugiados que ele e Hiroim guiariam para as Estepes ficaram ali à toa, mal escutavam, cansados e temerosos. Já o exército de Hulk não se aguentava, de olho no horizonte, morrendo de vontade de marchar. Hiroim olhou para Hulk. Tinham se tornado um povo dividido, um contra o outro, cada um na sua. Sonhos demais, maldições demais, confusão demais. O Cicatriz Verde devia falar. Mas Hulk apenas olhava para um nada a milhares de passos de pedra dali. Então Hiroim interviu:

– Com tantos sinais apontando o caminho, como podemos não acreditar? Estamos na época do Filho de Sakaar, que nos salvará a todos. Ou do Quebra-Mundos, que nos destruirá.

Pronto. Ele disse os nomes em voz alta. Refugiados e soldados viraram-se para ele, com receio e esperança remoendo as vísceras. E Hiroim sentiu uma dor no peito por saber quão tristemente iria desapontá-los.

– Mas o Profeta nos manda procurar pelo Filho de Sakaar *dentro* de nós mesmos. Em nossos corações. Com as nossas mãos. Pelo nosso sangue. Nada de destino, de sina prevista. Nós fazemos as nossas escolhas. Para nos salvar ou nos destruir. Então, seja seguindo para o norte e o desconhecido, ou para o sul e a guerra, nós nos lembramos de você, ó, Profeta. Perdoe e abrace a todos nós.

Os crentes da multidão murmuraram a antiga bendição junto de Hiroim. Mas evitavam olhar para ele, fixando os olhos no solo. Claro que odiaram as palavras dele. Lá no fundo, todo mundo ansiava pelo destino. Seria muito mais fácil.

Mas o Cicatriz Verde prestara atenção. Por um bom tempo, ficou olhando para Hiroim, depois acenou e foi descendo pelas montanhas escuras. Miek e seus nativos bateram suas lanças contra os cascos, os insurgentes de Elloe berraram, e o exército do Cicatriz Verde pôs-se a caminho do sul, rumo ao caos.

9

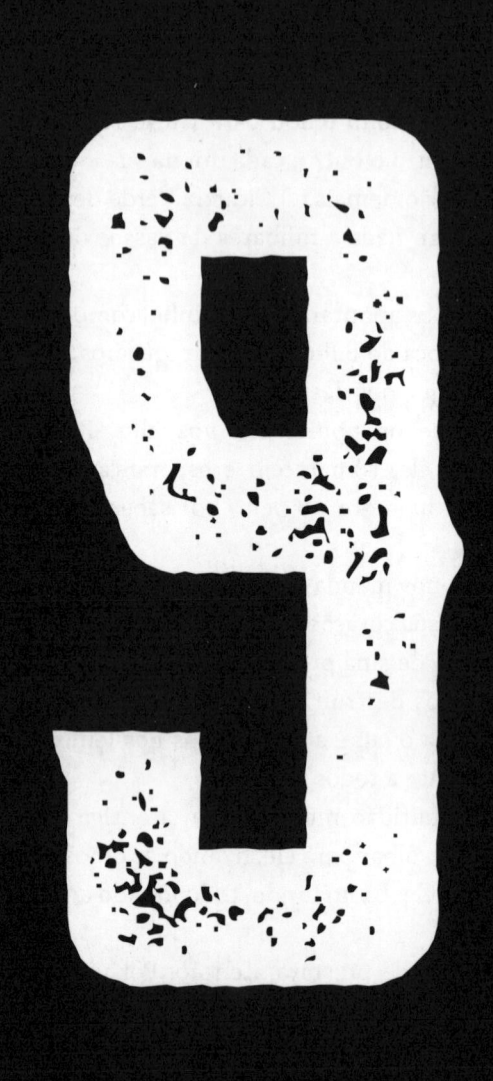

BEM ACIMA DO ATLÂNTICO NORTE, em seu quartel-general favorito, num satélite irrastreável, Reed Richards bocejou e se espreguiçou.

As costas dele fizeram um arco impossível, formando um semicírculo de três metros. Os braços estenderam o dobro dessa medida para o alto e os dedos se espalharam em arcos de mais de um metro, tocando o teto de um laboratório gigantesco. Fechando os olhos, Reed respirou fundo por exatos três segundos e um quarto. Depois serpenteou o pescoço alongado para tomar um gole de água da bolsa apoiada na luminária da mesa e voltou ao trabalho. Seus membros flutuavam soltos e leves no ambiente de gravidade zero, enquanto os dedos compridos voavam sobre o teclado.

Reed aprendera, com o passar dos anos, que, quanto mais solto deixasse seu corpo, mais fluidamente sua cabeça funcionava. E nesse dia ele lidava com três projetos diferentes que poderiam determinar o destino da raça humana: um colapso nuclear na Índia, um ataque terrorista nas calotas polares e a morte misteriosa de um quarto do atum do planeta nos mares abaixo. Trabalhando calmamente, ele mal sentiu o coração bater mais rápido. Era uma terça-feira, e o homem mais inteligente do planeta estava fazendo o seu trabalho.

Foi então que tocou o telefone verde.

Reed virou o rosto, aturdido.

O telefone verde não tocava nunca, jamais.

Ele pegou o receptor.

– Quem fala?

– Quem mais ligaria pra você nesta linha codificada supersecreta que você e eu criamos para emergências, Dr. Richards? É o Dr. Bruce Banner, naturalmente... o Incrível Hulk.

Reed franziu a testa.

– Duvido. A julgar pelo timbre de voz e o sotaque, você tem a metade da idade de Bruce Banner. E está usando uma cadência dramatizada demais para indicar sarcasmo, algo que jamais fez parte do repertório verbal de Bruce. E você é do Arizona, não de Ohio. E não é nem um pouco *esperto* como Bruce, porque acaba de entregar sua localização exata ao ligar para este número.

– Duvido – disse o outro. – Digo, você acertou na questão do sarcasmo. Mas foi o *Banner* que codificou esta linha. Nem mesmo você foi capaz de decodificá-la.

– Talvez eu nem tenha tentado.

Amadeus Cho abriu um sorriso e tirou os pés da mesa de Bruce Banner, assim poderia inclinar-se para a frente e digitar algo no teclado. Estava trinta metros abaixo do deserto de Mojave, no terceiro dos sete quartéis-generais secretos de Banner que descobrira no mês que corria. O esconderijo fora construído numa caverna natural cujo acesso se dava somente ao se nadar por um rio até uma passagem escondida debaixo da água. Por isso, Amadeus estava só de cueca, mordiscando um chocolate, com uma poça de água na velha cadeira de escritório militar de Banner. As roupas, ele as pendurara para secar numa linha esticada ao longo do laboratório, enquanto seu coiote devorava um dos jantares congelados do cientista. O ar morno do aquecedor enferrujado alcançava somente o filhote – Amadeus devia estar tremendo de frio. Mas seu cérebro enorme não parava, aquecendo-lhe o corpo todo.

– Ok. Faça como quiser – disse, digitando a última parte da sequência. – Meu trabalho aqui está feito.

Reed girou, de olhos escancarados, quando as luzes vermelhas do alarme foram acionadas. Seus dedos voaram pelo teclado, mas era tarde demais. Seu sistema intransponível fora invadido.

– Banner quebrou o código faz anos – disse Amadeus. – Está tudo aqui nas notas dele. Eu só precisava de uma amostra de voz atual sua para atualizar a senha de segurança. Então, valeu!

Reed digitava furiosamente, identificando os discos comprometidos e os protegendo, enquanto, ao mesmo tempo, fazia buscas de voz no intruso.

Amadeus, contudo, não almejava os dados mais importantes de Reed. Passou batido pelos arquivos sobre fusão nuclear e canhões elétricos Shi'ar e viagem no tempo. Tudo que queria era qualquer coisa que fosse relacionada a Hulk.

– Certo, achei seu arquivo. Você é Amadeus Cho, garoto projeto de gênio de dezesseis anos. Por que este interesse todo em Bruce, meu rapaz?

– Vai ver é porque ele é meu amigo. E, lá de onde eu venho, as pessoas não mandam os amigos para o espaço sideral. Velho, quando ele voltar...

– Ele não vai voltar.

– Ah, é? Vamos só cruzar a capacidade de distância da nave em que você o meteu com o mapa de mundos conhecidos e refinar a busca para os planetas aos quais você mandou sondas nos últimos dois anos... eeeeee *bingo*, BR054, no sistema Tayo. E você pôs até uma sonda por ali, pra monitorar tudo. Mas ninguém a checa faz séculos...

– Andei ocupado – disse Reed, meio envergonhado, e correu checar a sonda.

– E nem anda gravando direito! – berrou Amadeus. – Mas que lata-velha é essa?

– É um modelo da S.H.I.E.L.D. – disse Reed. – Não tive tempo de reprogramar. Escute, você podia vir me ver, Amadeus. Posso resolver qualquer mal-entendido que você tenha com as autoridades. Seu potencial é incrível. Só precisa de treinamento...

– Pra depois acabar numa das suas aeronaves? Calma lá...

Amadeus terminou de reprogramar a sonda e começou a escanear o planeta. Ficou tão chocado que escancarou os olhos.

– Ele nem está nesta porcaria de planeta! – disse. – Onde foi que você o colocou?

Reed invadiu o terminal no qual Amadeus trabalhava e escaneou os dados. Mesmo quando estava calmo, Banner irradiava uma assinatura gama específica – que estava totalmente ausente no BR054. O estômago de Reed esticou-se involuntariamente e se contraiu num nó apertado.

– Você o matou! – berrou Amadeus.

– Pare de gritar. Ninguém pode matar o Hulk. Você devia saber disso. A nave deve ter saído do curso...

– Seu monstro.

Um alarme soou. Reed virou-se para o monitor que mostrava como andava a situação na Índia: uma parede de contenção no interior do reator nuclear falhara. Ele digitou furiosamente, redirecionando a equipe tática que estava no local do vazamento para um cômodo seguro e subiu um novo mapa de missão. Depois voltou sua atenção para o telefone verde.

– *Eu* sou o monstro? Você se diz esperto, Amadeus. Então, fique à vontade; você tem os meus arquivos. Pesquise Hadleyville. Stoneridge. Jericho. Las Vegas. Dê uma boa olhada no que Hulk aprontou nessas cidades.

– É, e em Nova York também, um par de vezes. Que seja.

– Como ousa tratar essa questão com tamanh...

– Pode parar com o chilique, Richards. Já li seus registros. Quando ele detonou Nova York, tinha sido levado à loucura por aquele tal Pesadelo. Quando foi pra Stoneridge e Jericho, ele e Banner tinham sido separados pelo Dr. Samson. E, quando atacou Las Vegas, tinha sido atingido por um MOAB de gama e sido maltratado pelos próprios colegas de equipe. Por que não tentam apenas deixar o cara *em paz*? Porque, se você se desse ao trabalho de prestar um pouquinho de atenção, repararia que ele se sai muito bem quando vocês não estão tentando matá-lo... ou "ajudá-lo".

– Amadeus, você não faz ideia... – disse Reed, mas nem terminou a frase, pois empregava toda a concentração para completar e enviar um código novo para os engenheiros *in loco* usarem na hora de reiniciar o núcleo da usina.

– Que seja, meu velho. Como você disse, vejamos os arquivos. Ele segurou uma montanha inteira pra salvar você e os seus amigos. Esmagou um exército alienígena pra salvar a Casa Branca. Salvou o mundo quase tantas vezes quanto vocês. E o que é de matar é que vocês *sabiam* disso.

Reed deu uma baforada longa de alívio quando chegaram mensagens da Índia, que apareceram na tela. O código funcionara. A usina estava fora de perigo. Uns poucos cientistas olhavam radiantes para ele, acenando e celebrando, com lágrimas escorrendo pelo rosto. Ele fechou os olhos e esfregou a testa, ouvindo a voz de Amadeus, que não parava.

– O cara é um baita dum herói. Pode até odiar todos nós, humanos fracotes... mas nos salva mesmo assim. E fico me perguntando se haveria menos gente *morta* se vocês lançassem a *si mesmos* no espaço, em vez *dele*.

Apesar de muito esperto, Amadeus estava errado em muitos e muitos detalhes. Contudo, em coisa de três segundos, Reed avaliou cada argumento que poderia usar para contrapor a invectiva do menino, e soube que todos fracassariam. Porque, considerando a base de toda a questão, Amadeus estava certo. Claro que estava. Reed e seus amigos violaram pelo menos nove leis norte-americanas e seu próprio código moral ao trair Bruce. Reed pesquisou alternativas em sua mente, um plano diferente, um jeito melhor com o qual poderia ter lidado com a ameaça monumental, existencial, que Hulk representava. Mas não encontrou coisa alguma.

Um alarme berrou. Um *tsunami* avançava sobre Madripoor, e o campo de força de emergência falhara. A voz de Amadeus ainda explodia do receptor, raivosa e sincera.

Mas Reed desligou o telefone e retomou o trabalho.

10

ENQUANTO SEU EXÉRCITO terminava a descida da montanha, deixando para trás as Estepes, Hulk contemplava o infinito mar de grama alta que se deitava diante deles. Hiroim e Korg sempre evitavam as planícies – local fácil demais para serem avistados e rastreados pelas forças de Caiera.

Mas Hulk tinha se cansado de esperar.

Ele guiou o exército pela encosta da montanha e marchou diretamente para o gramado. Os insetívoros chilreavam, apertando os olhos para se defenderem da luz do sol, nervosos e expostos. Hulk virou-se e olhou feio. Os insetos captaram o cheiro dele e congelaram. Miek deu um passo à frente, mas Hulk rosnou – apenas como um aviso, não uma ameaça. Miek parou e resolveu guiar o exército para o abrigo de um grande arco de pedra na borda da planície.

Hulk foi sozinho até o centro do vale. Ficou ali por um momento, em silêncio, sentindo a brisa gentil nos cabelos, tocando as pontas da grama alta com a mão aberta. Foi então que a grama tremeu, e ele sentiu um ribombar fraco no solo, debaixo dos pés. Pouco depois, Caiera, a Fortaleza, apareceu no horizonte, guiando um pelotão de guardas imperiais.

Elloe gritou para o quinto prefeito, que gritou para os arqueiros, que tinham subido em cima do arco. Eles dispararam um voleio de flechas. Porém, Caiera firmou os pés no solo, fechou os olhos e ergueu a mão, e o Poder Antigo das profundezas do planeta sublevou-se por entre rocha e terra. As solas dos pés dela pinicaram, e cada célula de seu corpo queimou, congelou e se alterou.

A pele acinzentada de Caiera endureceu até virar pedra lisa, dando breves estalos. Ela abriu os olhos e viu as flechas ricocheteando de seu corpo, sem fazer mal. Atrás dela, na borda do gramado, o primeiro oficial deu um grito, e os soldados dela ovacionaram, sacudindo as armas no alto.

Hulk foi andando pelo gramado com um pequeno sorriso brincando nos lábios, olhando bem nos olhos de Caiera. A guerreira reparou, para sua surpresa, que ele ficara impressionado.

– O que você quer? – ele perguntou.

– Você – ela disse.

Caiera estudou Hulk, analisando seu rosto e sua postura. Ele parecia mais calmo do que antes, mais sob controle. Mas ela estava canalizando o Poder Antigo, e pôde sentir o martelar incansável do coração dele repercutindo no solo, sob seus pés. Hulk estava mais bravo do que nunca.

Ela já devia ter atacado, estilhaçado o esterno dele e parado o coração. Ou decepado a cabeça. Ou aberto uma rachadura no solo para derrubá-lo no magma abaixo. Mas se ela o matasse assim tão rápido, jamais saberia. Caiera não sabia o que *exatamente* queria descobrir. Mas, ouvindo esse coração bater, em vez de matar, ela se flagrou conversando.

– Você devia ter me ouvido, Holku. Eu poderia ter deixado você se juntar aos seus amigos nas Estepes.

– Holku?

– Meu sotaque do deserto. Combina com você. – Caiera fitou Hulk de modo muito solene. – Mas agora meu rei demanda a sua cabeça.

– Engraçado. Eu estou querendo a *dele*.

Caiera olhou para o exército no arco. Os nativos estalavam as mandíbulas para ela, sacudindo suas armas no alto, berrando palavrões. Alguns arqueiros imperiais dispararam mais uma rodada de flechas. Quase sem perceber, a guerreira as defletiu com as costas da mão, sacudindo a cabeça.

– Você perdeu o homem de pedra e sua sombra. Seu coração e sua estratégia. Está liderando um exército de crianças raivosas.

– A raiva me serviu muito bem até agora.

– Você realmente não tem ideia de com quem está lidando, não?

Caiera voltou-se para o oeste, contemplando o gramado vermelho que balançava no deserto adiante. Com o Poder Antigo, estendeu sua consciência pela crosta do planeta, sentindo a areia quente de sua terra natal. O reino da Sombra, a um mundo dali. Seu coração foi tomado por um anseio antigo, e ela soltou uma longa baforada.

Houve um tempo em que ela também não soubera.

– Eu tinha onze anos quando descobri quem eu era. E foi a minha *fraqueza* que me revelou isso. Estava lutando com o meu pai. Ele me derrubou pela nona vez, me jogou no chão. Eu mergulhei os dedos na areia, gritei de raiva e virei pedra. E então quebrei a melhor espada de meu pai com minhas mãos.

De olhos fixos em Hulk, estudou o rosto dele, lendo o bater de seu coração através do solo.

– Eu sou Caiera, a Fortaleza – disse ela, deliberadamente moldando as palavras para soarem o mais delgadas e frias, tão incontestáveis quanto a rocha. – Eu detenho o Poder Antigo, a habilidade de canalizar o poder do planeta, dom concedido a apenas um por geração. Você diz que é o mais forte por aqui. Mas está errado.

Um sorriso dos mais discretos apareceu no rosto de Hulk. Seu coração continuava a martelar, firme e constante. Ele não contestou as palavras dela. Mas ela sabia que em nenhum momento ele duvidara de si.

– Mas, mesmo *eu* sendo forte como sou, não sou o pior perigo que você enfrenta agora – disse ela.

Nada mudou. Ou, melhor, a respiração dele se acalmou. Caiera reparou que ele estava *apreciando* a situação. Ela devia atacar agora, enquanto ele lhe dava atenção. Hulk ainda não tinha reparado nisto, mas estava baixando a guarda.

Contudo, ela também estava.

– Eu tinha treze anos quando ele veio até mim. Apenas duas estações do treinamento de Fortaleza. Eu não podia controlar o poder totalmente. Não conhecia os segredos. Mas não me preocupava. Eu podia sentir nos ossos toda vez que meus pés tocavam a terra... como se fosse parte de mim, e eu dele. E eu tinha mais seis estações de treinamento para me descobrir. Mas então os Espetos atacaram: um enxame gigantesco que varreu a aldeia durante a noite. A essa altura, eu já tinha aprendido a enrijecer minha pele quando quisesse. Mas apenas por alguns momentos por vez. Por isso evitei a primeira onda de infecções... Logo coube a mim defender os sobreviventes dos primeiros caídos, que se levantaram transformados em Espetos. O corpo do meu pai foi o primeiro que derrubei. Mas não há como matar um Espeto com uma espada. Ele se dividiu em dois e avançou contra mim com mil novos estemas afiados. Senti minha forma de pedra cedendo; eu sabia que não poderia me proteger por muito tempo. Os anciões me gritaram para que eu fugisse. Mas eu era jovem, estava sofrendo, estava furiosa. De que me valia o Poder Antigo se eu não podia sequer salvar meu pai? Foi então que raios de plasma choveram ao meu redor, e os espetos guincharam e pegaram fogo. Guardas cabeças da morte me agarraram e um garoto avermelhado riu. Era o imperador. Não passava de um garoto, na época, mas já sabia o que queria e como conseguir. Seus robôs cabeças da morte me prenderam no chão e meteram um disco de obediência no meu peito. Ele sabia que os Espetos viriam, mas deixou toda a minha aldeia morrer apenas para tirar uma sombra do esconderijo, uma que tivesse o Poder Antigo, e fizesse dela sua escrava. *Esse* é o seu verdadeiro inimigo. E é isso que ele fará para conseguir o que deseja.

Hulk olhou para outra coisa. Ela acompanhou o olhar dele em direção aos nativos debaixo do arco. Miek e Sem-Nome ainda olhavam para eles com a cara fechada. Mas os pequenos tinham se cansado da agitação. Alguns se apoiavam nas lanças, absortos. Dois zanzavam aos pés de Miek, brincando de pega-pega na grama alta. Caiera tornou a olhar para Hulk, vendo-o observar seu povo. Um sorrisinho abriu-se no rosto dele quando ouviu os nativos chilreando e rindo.

– O Rei Vermelho matará todos os nativos daquele morro – disse Caiera. – Matará todos que você conhece para atingi-lo. Mas, se eu te matar antes, os outros talvez tenham chance de viver.

Hulk voltou a olhar para ela e estreitou os olhos em fendas. Caiera sentiu um frio na barriga quando o coração dele deu um pulo e trovejou.

Finalmente.

Caiera avançou e fincou a lâmina da arma na lateral do pescoço dele. Os nativos no morro viraram-se e guincharam quando o cheiro do sangue de Hulk os cobriu feito uma onda.

– Que gracinha – disse ele, arrancando a lâmina fincada. – Minha vez.

Hulk largou o escudo e sacou a espada. Caiera firmou os pés no chão e ergueu a lança para bloquear o golpe dele. Os nativos urravam, torcendo pelo Cicatriz Verde. Do outro lado do campo, os soldados da guerreira rugiam, batendo as espadas nos escudos. Ninguém podia tirar a Fortaleza do lugar. Mas também ninguém podia conter o Hulk.

A espada de Hulk colidiu com a lança de Caiera, e as duas armas estouraram, cobrindo os guerreiros com estilhaços vermelhos quentes. A onda de força resultante soprou o gramado num grande círculo concêntrico por todo um passo de pedra.

Hulk e Caiera cambalearam para trás, afastando-se – feridos e sangrando, os ossos das mãos ainda vibrando – e largaram os restos partidos de suas armas.

– Aquele que morrer – Caiera sussurrou –, que morra honrado.

Hulk abriu um sorriso ousado e apertou as mãos em punhos. Caiera fechou os olhos, moldando seus movimentos ao movimento do planeta. Tremores dispararam dos pés dela, pelo solo, em todas as direções. O primeiro oficial virou-se e berrou ordens para os soldados. Agachados e receosos, eles formaram cabanas protetoras, unindo seus escudos.

Elloe gritou para que os rebeldes imperiais se protegessem atrás da base do arco. Miek empurrou o máximo de nativos que conseguiu agarrar para um buraco no chão e os protegeu com seu casco imenso.

O punho de Hulk acertou Caiera bem no ombro esquerdo. No mesmo instante, ela o acertou no peito com a palma da mão direita. Toda a fúria do Cicatriz Verde reverberou pelo corpo de pedra de Caiera, abrindo fissuras como arabescos na pele dela, estilhaçando os ossos de seu braço esquerdo. Porém, a força inconcebível da rotação do planeta, canalizada através do braço direito de Caiera, disparou como foguete pela palma de sua mão e explodiu no peito de Hulk – rachando as costelas, rompendo os pulmões e estourando a câmara esquerda daquele coração poderoso.

Uma ampla explosão de pedra e rocha espalhou-se pelo ar, num raio de dois passos de pedra, em torno do ponto de impacto. Os nativos de Miek berravam debaixo do casco dele. Os homens de Caiera entoaram juramentos e orações ao sentir grandes pedaços de terra atingindo os escudos. A dez passos de pedra dali, Korg e Hiroim e sua coluna de refugiados pararam nas Estepes e olharam para trás, receosos, pois sentiram o solo sacudir sob seus pés.

Lentamente, poeira e fumaça se dissiparam.

Caiera jazia na planície destroçada, ferida e ensanguentada. Porém, ao respirar fundo, com dificuldade, ocorreu-lhe, para sua surpresa, que ela ainda vivia. Caiera ficou ali quieta, seus olhos se fechando, captando o que lhe diziam as pedras. Ela sentiu os nativos se levantando. Sentiu seus homens baixando os escudos e pondo-se de pé. E sentiu aquele peso todo do corpo de Hulk deitado na terra, a poucos passos dela, rígido como pedra, e o coração resiliente finalmente silenciara. Quase por reflexo, os lábios da guerreira curvaram-se ligeiramente num sorriso teso. Missão cumprida: inimigo conquistado. Porém, seu coração afundava feito uma pedra desaparecendo nas silenciosas profundezas de um mar sem fim.

Ela escancarou os olhos quando o coração dele deu um pulo.

Hulk respirou fundo, rouco e seco, e ergueu-se com pesar, tossindo um sangue verde-escuro. Os dois se encararam.

– Então esse é o tal Poder Antigo – disse Hulk, limpando a boca com as costas da mão.

Estendendo suas sensações pela rocha, Caiera captou as pequenas vibrações dos ossos dele ao lentamente remendar-se.

– Você devia estar morto – ela disse.

– Você *parece* que morreu – ele retrucou.

O braço esquerdo de Caiera pendia para o lado, largado. Com o outro, no entanto, ela ergueu o fragmento partido de seu cajado e apontou a lâmina para Hulk, sem dizer nada.

– Por mim, tudo bem – disse ele.

Hulk tateou, procurando a espada partida que largara no chão, e demorou um pouco para encontrá-la. Rangendo os dentes, ele tomou a espada e cambaleou para a frente, com sangue vazando pelos ferimentos. Caiera abriu um sorriso falso. Ele podia curar-se mais rápido do que qualquer outro que ela enfrentara. Porém, ainda assim, ele sangrava.

Mas de cada gota de sangue que tocava a terra brotava uma vinha verde, espiralando para o alto, com folhas cintilantes se desenrolando sob a luz do sol.

••••

– Filho de Sakaar – sussurrou o primeiro oficial de Caiera.

O imperador ajeitou-se no trono, vendo tudo pelo comunicador. O coração trovejava dentro do peito, e a visão do rei borrou por um momento, de tanta raiva. De novo aquela alcunha. Vindo da boca dos subordinados dele. *Jamais jamais jamais...*

– Que foi que você disse? – ele perguntou.

— F-filho de Sakaar — disse o primeiro oficial. — É isso mesmo. As vinhas de eleha'al... crescendo do sangue dele...

O imperador virou-se para o ministro das Ciências e acenou. O ministro, que agora usava as vestes brancas de conselheiro disponibilizadas pela partida recente de Denbo, caiu no choro e começou a implorar. O imperador apenas sorriu.

••••

Do topo de uma montanha, Hiroim observava as nuvens, e seu rosto cinza ficou pálido. Uma imensa figura negra apareceu no céu, como uma adaga denteada, apontando para a terra. A massa precipitou-se para baixo, rasgando o ar com um zumbido penetrante.

— Pelo Profeta... — disse Hiroim.
— O que foi? — perguntou Korg.
— O fim. O fim de tudo que existe.

••••

Um grito pungente rasgou o ar. Hulk virou-se para ver seu exército. Mas o som vinha do céu. Um espeto negro de metal de trinta metros de comprimento fincou-se no chão, atrás dos soldados de Caiera, arremessando todos para o ar.

— Fujam! — Caiera gritou para seus homens.
— O que é isso? Outra bomba? — Hulk perguntou.

A espaçonave preta abriu-se, e uma horrenda monstruosidade gelatinosa escorregou para a planície, se contorcendo, com pernas espinhosas como as de uma aranha.

— Não, Cicatriz Verde — disse Caiera. — São os Espetos.
— Qual o problema? — disse Hulk. — São só um bando de insetos.

Caiera saiu correndo, ouvindo os berros de seus soldados. Os Espetos, no entanto, alcançaram os homens muito antes dela. Caiera parou, vendo-os urrar. Não havia mais o que fazer por eles.

— Aqueles são esporos — disse ela a Hulk, vendo os espetos penetrando a carne dos soldados. — Eles atacam tudo que é vivo. E em poucos minutos, talvez segundos, tomam controle.

O primeiro oficial da guerreira caiu no chão, berrando e chacoalhando. A cabeça dele foi jogada para trás com tamanha violência que o som de seu pescoço se quebrando ecoou por todo o vale. Ele olhou sem expressão para Caiera e Hulk, com a cabeça pendurada para o lado. Sua pele, então, derreteu e rachou, liberando estemas afiados que se debatiam. Ele soltou um gemido de morte sob a ação dos Espetos, que consumiram sua carne e a possuíram. E desabou feito geleia, misturando-se ao grande monte de carne infestada que fora antes o pelotão.

– E agora, o que eles fazem? – Hulk perguntou.

– Eles destroem o mundo – respondeu Caiera.

Hulk apenas fez careta ao ver os Espetos avançando na direção deles.

– Você não ficou sabendo? Quem faz isso sou *eu*.

Hulk avançou, erguendo a espada, e os nativos debaixo do arco guincharam e comemoraram.

Filhos de Sakaar.
Contemplem o seu mundo.
Horror atrás de horror, ruína atrás de ruína.
Mas o Cicatriz Verde não foge jamais.
E é por isso que vocês o amam.

Caiera observou Hulk, maravilhada. O cara era o sujeito mais corajoso ou o mais imbecil que ela já conhecera. Talvez ambos. Parte dela quis gritar o nome dele junto dos nativos, sonhando com vitórias impossíveis, tendo *fé*.

Mas Caiera suportava o fardo de ser uma guarda das sombras. Milhares poderiam ser condenados à morte se ela se permitisse crer em qualquer coisa que não fosse o laço inquebrável de seu juramento.

E ela jurara matar Hulk.

Caiera girou como o planeta girava, assimilando o poder deste no arco de seu corpo, e lançou o cajado. A lâmina fatiou a panturrilha de Hulk, passou rasgando pelo tornozelo e prendeu o pé dele no solo. Ele girou para ela, rugindo de dor e fúria, e a golpeou com toda a força, arremessando a guerreira com tanto ímpeto que ela sobrevoou a planície.

Quando os inimigos atacam,
Ele aceita bem a dor.
Ele abraça a raiva.
E se torna aquilo que você queria poder ser.

Anestesiada de dor, Caiera olhou para as nuvens rosadas ao pular num amplo arco pelo céu. Um ameboide flutuante encarou-a com tolos olhos semicerrados e flexionou graciosamente as nadadeiras, impossivelmente belo e tranquilo. Quando atingiu o ápice da trajetória, a guerreira respirou fundo e trouxe os joelhos para junto do peito, preparando-se para a descida brutal. No começo do mergulho, ela avistou Hulk na planície, ao longe, rugindo e golpeando os Espetos que avançavam sobre ele num enxame.

Adeus, Filho de Sakaar.
Seja bem-vindo, Quebra-Mundos.

11

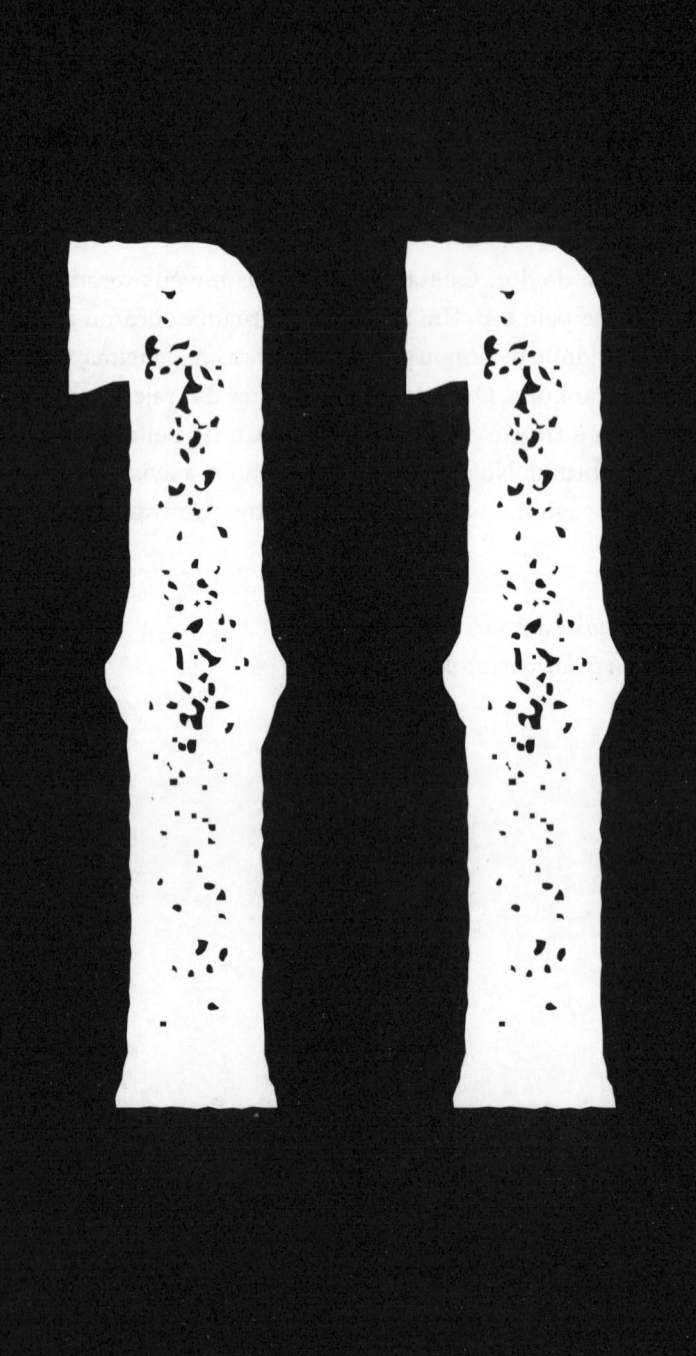

NOS PORTÕES DA ALDEIA de produtores de ovos de An-Sara, um sonolento guarda caiu do banquinho quando o aterro do outro lado da via principal explodiu. Uma chuva de pedras e terra desabou em torno do rapaz, que se apressou a ficar de pé. Uma criatura alta saiu cambaleando da nuvem de poeira, endireitou-se, grandiosa e imponente, partiu a lança do guarda em duas com apenas uma das mãos e passou por ele, marchando para a praça central da aldeia.

– Eu sou Caiera, a Fortaleza, Sombra do Imperador! – ela berrou. – Chame seus operários, lacrem portas e janelas, e alimentem fogueiras e fornalhas!

O chefe da aldeia ficou olhando, pasmo, para Caiera. Durante uma visita ao Congresso dos Prefeitos, seis anos antes, ele presenciara, sentado num dos setores mais baratos da Grande Arena, o momento em que Caiera explodira os corações de dezesseis possíveis insurgentes com um golpe, num ritual de execução. Até levara para a casa uma flâmula com uma foto dela, para a filha. Agora, olhava para ela, horrorizado. O único pensamento coerente que lhe ocorreu foi que ela parecia muito mais alta pessoalmente.

– Perdoe-nos, Sombra! Seja lá por que veio nos punir, nós nos rendemos e imploramos por clemência. Salve o imperador, o Rei Vermelho, o Herói Protetor de Sakaar...

– Escutem, seus imbecis! – ela berrou. – Os *Espetos* voltaram!

O chefe ficou estupefato por um segundo, a sensação de terror multiplicou-se por cem, e ele começou a gritar ordens para os demais aldeões. Em questão de segundos, soaram as sirenes para convocar os trabalhadores no campo, correram com as crianças para os porões e começaram a trazer os estoques de sebo e óleo para o meio da praça.

• • • •

Caiera saiu pelos portões principais e avistou, do outro lado da planície, a horda gelatinosa de Espetos ao longe, rolando lentamente na direção da vila. Um borrão esverdeado caiu com tudo no solo, e uma parede imensa de rocha e terra ergueu-se perante os invasores. O coração de Caiera deu um pulo. Ela tinha prendido Hulk no chão, largado à mercê dos Espetos. Porém, mais uma vez, ocorreu-lhe não fazer ideia da verdadeira força dele.

A guerreira fechou os olhos e usou a terra para sentir o martelar do coração dele e o jorrar do sangue que vertia das feridas nos braços. Os Espetos o tinham penetrado, mas ele arrancara os esporos de seu corpo. Sobrevivera a algo que nenhuma criatura de carne e osso podia suportar. Caiera abriu os olhos e observou a cena, maravilhada.

Os Espetos apareceram no topo da parede de terra levantada por Hulk, deslizaram para o campo aberto e infectaram o gramado, espalhando-se como fogo por todo o vale. Hulk saltou para longe deles com três passadas inimagináveis e correu para Miek, Elloe e o restante do exército, que correu buscar a proteção do arco rochoso, no morro.

– Que diabos está fazendo *aqui*, Fortaleza?

Caiera virou-se e viu um pequeno orbe de comunicação flutuando para perto dela, vindo do céu. O olho azul do aparelho piscou e projetou em pleno ar a imagem do imperador.

– Se bem me lembro – disse o rei –, mandei você ir matar o Cicatriz Verde.

– Sua graça, uma nave dos Espetos acabou de pousar, liberou milhares de esporos, infectou todo o meu pelotão...

– E daí?

– E daí que essas pessoas... todo este *continente* corre perigo! Precisamos dos guardas cabeças da morte, bombas letais...

– Acalme-se, minha querida. – O Rei Vermelho sorriu e recostou-se no trono. – Eles já estão a caminho.

• • • •

Cinco passos de pedra ao norte, Hiroim e Korg desceram uma montanha e se esconderam numa fenda. Um couraçado imperial passou por cima deles, acompanhado por um pelotão de guardas em discos flutuantes.

Quando as bombas começaram a despencar da barriga do couraçado, Hiroim emergiu da fenda para ver as planícies, infestadas pelos Espetos. O solo chacoalhou com o estouro das bombas letais. Porém, elas caíam dois passos de pedra para o sul, formando um semicírculo em torno de um arco rochoso.

– Não estou entendendo... – disse Korg. Os olhos dele foram projetados para o combate próximo nas montanhas rochosas, não para enxergar ao longe, no deserto. – Os Espetos não estão mais para o norte?

– É o exército de Hulk que está debaixo daquele arco – disse Hiroim. – E o Cicatriz Verde está correndo para eles. É ele que eles querem.

– Mas não estão bombardeando Hulk...

– Porque essas bombas não podem matá-lo. Querem *cercá-lo*.

Hiroim apontou para uma segunda leva de bombas, que criou uma parede de fogo cercando o arco, a aldeia de An-Sara e a horda de Espetos que zanzava entre eles.

– Estão cercando *todos* eles.

• • • •

Nos portões de An-Sara, Caiera viu, estupefata, quando as chamas ardentes circularam a área e os Espetos avançaram.

– Se você tivesse matado Hulk quando teve chance, isso não teria que acabar assim – disse o imperador pelo orbe flutuante.

– Mas os aldeões! – ela berrou. – Eles não têm nada a ver com isso! Por que cercá-los?

– Nós ainda não sabemos muito bem quão forte é esse Cicatriz Verde, não é? – disse o imperador. – Será bom tê-los à mão, só para o caso de os Espetos precisarem se reabastecer.

Um pastor guiando um casal de trizelas para o portão gritou quando os Espetos avançaram para cima dele. Caiera correu para ele e o arrastou para longe do perigo um momento antes de os esporos envolverem os animais desesperados. O imperador gritou com ela, do orbe comunicador, mas sua voz se perdeu sob o rugido do fogo e o borbulhar dos Espetos. Sem olhar mais para o orbe flutuante, Caiera puxou o pastor para a segurança dos muros da aldeia e fechou os portões com tudo.

O chefe virou-se para Caiera, empunhando um velho lança-chamas manchado.

— Da primeira Guerra dos Espetos! Temos doze destes, além de três barris de combustível!

Caiera pegou a arma, apoiou-se no muro acima do portão e queimou a primeira onda de esporos com um jorro amplo de chamas. A massa de Espetos recuou, como a mão de uma criança escapando de uma abelha-de-fogo. A guerreira escaneou a massa e contou os números mentalmente. Três barris de combustível seriam suficientes para matar menos de um quarto da horda. E jamais fora construída uma muralha pela qual os esporos dos Espetos não pudessem acabar se espremendo e atravessando.

— E agora? — berrou o chefe.

Ela viu o homem no pátio, cercado por aldeões aterrorizados, todos olhando para ela com cara de desespero. Caiera viu o rosto do pai, cheio de amor e horror, explodindo de Espetos. Logo mais esses aldeões borbulhariam com esporos, dissolveriam para a massa da horda e escorregariam para o porão, para devorar os próprios filhos.

Porém, enquanto isso não ocorresse, teriam de lutar.

— Cinco armas aqui em cima, comigo! — gritou ela. — Duas em cada um dos outros muros! Tragam qualquer coisa que pegue fogo... Precisamos de fogueiras em cada muro e de tinas pra derreter o sebo!

Enquanto os aldeões berravam e se apressavam, correndo executar as ordens, Caiera voltou ao trabalho e afugentou mais uma onda de Espetos. Um aldeão em cima do muro norte soltou um berro, e a aldeia inteira sacudiu quando grandes fragmentos de pedra despencaram do céu e desabaram sobre os Espetos que se aproximavam dos portões.

Hulk saltou por cima das pedras, levando seu exército para An-Sara. Um aldeão gritou, apontando o lança-chamas, mas Sem-Nome desceu de rasante e arrancou a arma das mãos dele. O aldeão perdeu o equilíbrio e despencou do muro, mas Hulk pulou e pegou o homem. O exército o acompanhou muro acima. Sem-Nome ficou circulando para ajudar os nativos e imperiais menores a ultrapassar esse último obstáculo.

Hulk largou o histérico aldeão e virou-se para Caiera, soltando um rugido ensurdecedor.

— Me queime!

Quando ele agachou, Caiera viu os estemas dos Espetos agitando-se nas costas dele e brotando dos olhos. Puxando o gatilho, ela o banhou com chamas. Hulk gritou de dor, agarrado com tanta força na murada que esta rachou e ruiu. Mesmo assim, ele não saiu do lugar enquanto o que restava da infecção não foi queimado de seu corpo. Caiera somente parou de atirar quando viu a careta se transformar num sorriso feroz. Hulk levantou-se, fumegante e chamuscado, e agradeceu.

– Obrigado. Estava começando a coçar.

Os nativos clicaram e comemoraram, dando tapinhas nas costas de aldeões assustados. Hulk pegou a arma de Caiera, checou os controles, virou-se para a onda seguinte de Espetos e disparou fogo neles.

O orbe comunicador do rei flutuou atrás de Caiera.

– Agora, enquanto ele banca o herói – sussurrou o Rei Vermelho. – Você ainda tem chance...

Caiera arrancou um lança-chamas das mãos de um aldeão. Hulk virou-se e olhou para ela, sorrindo, iluminado pelas chamas. Pela pedra sob os pés, ela sentiu o coração dele bater com uma alegria feroz, firme e sincero.

E, assim, ela se juntou a ele no muro, lado a lado, ateando fogo nos Espetos.

• • • •

Elloe caminhava por entre os aldeões em pânico, gritando ordens e limpando gargalos. Em pouco tempo, ela organizou um grupo para destruir móveis e içar os pedaços para o pessoal que manejava as fogueiras nas muradas, enquanto outro time limpava a base das paredes, preenchendo qualquer rachadura com terra e argila.

Miek, Sem-Nome e os nativos apenas zanzavam pelo pátio principal, de cabeça baixa, farejando o ar.

– Irmão Miek!

– Rei Miek! Está sentindo esse cheiro?

– Sim. Miek farejando... Tanta dor... tanta...

Miek virou-se para um silo que ficava no meio do pátio. Um fazendeiro imperial aterrorizado guardava a porta de entrada com uma forquilha nas mãos.

– Espere, ninguém pode entrar aqui. Você não...

Miek deu com a clava no fazendeiro, tirando-o do caminho, e abriu com violência as portas. Um cheiro cálido encobriu-o como uma onda, e o ar pareceu cintilar com uma luminosidade dourada.

Uma imensa rainha dos nativos apareceu na frente dele, com os membros acorrentados ao teto e às paredes. Debaixo da grade na qual estava sentada, uma pilha de ovos reluzentes jazia numa câmara de coleta. Horror e elação, esperança e raiva, amor e fúria explodiram na mente de Miek.

– Você veio – sussurrou a rainha, e o ar se encheu de luz.

Miek cambaleou para a frente.

– Você emanando... chamando... nós nunca pensando que ainda haveria... nunca sonhando...

Ele tocou as antenas dela com as dele. Os nativos clicaram e zumbiram, ajoelhando-se ao redor dos dois, e pareceram entrar num transe ao captar essa nova aliança.

– Minha rainha.

– Meu rei.

• • • •

Miek saiu a toda do silo, agarrou os três primeiros aldeões que viu e os chacoalhou no ar como se fossem bonecas de pano.

– Rosinhas fracotes imundos! Miek matando todos vocês! *Todos vocês*!

– Miek, não! – Elloe saltou do muro, evidentemente aturdida. – Vamos *salvar* essas pessoas! O que você está fazendo?

– Uma das últimas rainhas aqui! – guinchou Miek. – E essas pessoas *escravizando* a rainha! Acorrentando-a no escuro! Fazendo *botar*... e *comendo os ovos* dela!

Elloe viu horrorizada quando a rainha saiu meio tonta do silo, piscando por causa da luz do sol, flanqueada pelos nativos. O casco dela estava sarapintado e rachado, coberto de musgo. Os olhos estavam turvos, e a quitina em torno dos pulsos fora gasta pelas algemas. Porém, a luminosidade do pátio pareceu suavizar e cintilar quando ela chilreava, juntando os nativos chorões com os braços, ao redor.

Quando Elloe era menina, o cozinheiro preparava para ela meio ovo de nativo toda manhã. Nos feriados, a mãe se incumbia de cozinhar; sem saber o que fazer, salteava para Elloe um ovo inteiro e temperava com erva-salgada. Agora, vendo a rainha sofrida, abraçando os filhotinhos, Elloe sentiu o sabor da gema rosada inundar sua boca e caiu no choro.

Miek ergueu o fazendeiro no alto e rosnou na cara dele.

– Agora *Miek* comendo *você*!

Elloe lançou-se à frente, aos berros. Mal enxergava por detrás das lágrimas, mas estava de espada na mão. O que estava fazendo? Iria ajudar Miek a matar os malditos imperiais que assassinaram e escravizaram a espécie dele por gerações? Ou iria esconder a própria culpa enterrando a lâmina na barriga de Miek? Elloe lembrou-se do sorriso imperioso e indulgente da mãe, e seu coração encheu-se de ódio e amor.

Foi quando o muro atrás dela ruiu, um esporo imenso de Espeto passou e atingiu a rainha na lateral do corpo, e esta, os nativos e Miek soltaram um grito penetrante em uníssono que sobrepujou todos os outros sons em torno da aldeia.

· · · ·

Caiera, ainda no alto do muro, virou-se e apontou o lança-chamas. A rainha era imensa; tinha o dobro do tamanho de Miek. Se ela derretesse em Espetos, mataria todo mundo dentro do pátio em questão de minutos. Havia apenas uma coisa a fazer. Porém, quando ela puxou o gatilho, Hulk bloqueou a rajada com a própria mão, gritando de dor ao ser tostado pelo fogo.

– O que está fazendo? – ela gritou.

– Lutando pelos amigos – disse Hulk, e saltou para Miek e a rainha.

Uma coluna de intenso vento soprou do alto quando um Cruzador da Alegria imperial desceu acima da aldeia. Caiera ergueu o rosto e viu os rostos radiantes dos oligarcas, que se divertiam muito em seus deques. Gotas de néctar cintilante espirraram no rosto dela quando uma duquesa risonha derramou a bebida.

– *O Cicatriz Verde, senhoras e senhores!* – berrou o apresentador do Cruzador da Alegria ao microfone. – *Levado a vocês ao vivo na caixa-vídeo pelo Cruzador da Alegria 12! Ele simplesmente não desiste, não é mesmo? Mas aqueles Espetos também não são lá tarefa muito fácil, meu avô sempre me dizia!*

– Isso é loucura – Caiera sussurrou.

Enquanto ela saltava para o pátio, Hulk tirou Miek e os nativos do caminho, e arrancou o Espeto do corpo da rainha. Os estemas do esporo enroscaram-se em torno da cintura dele, fincaram-se no antebraço, mas Hulk estendeu o bicho o mais longe que pôde do corpo e olhou para Caiera.

– Agora! – rugiu.

Caiera disparou chamas no punho de Hulk, incinerando o esporo. Hulk urrou de dor: a mão queimada pela segunda vez. Mas o esporo pegou fogo, queimou e morreu, sibilando e pipocando até restarem somente as cinzas.

A rainha tremia e suspirava. Vazava sangue pela ferida na lateral do casco. Mesmo assim, um odor tranquilizante varreu Miek e os nativos, e eles chilrearam de gratidão entre as lágrimas.

– Minha rainha... minha rainha...

– Simmmm, pequeno rei – ela sussurrou. – Estou viva.

Elloe estava ali perto, o rosto lívido coberto de lágrimas, a espada pendurada na mão. Miek aproximou-se, então, e a puxou para o círculo que formara com os outros insetinhos.

– Lutando pelos amigos – ele murmurou, pondo o braço nos ombros dela.

E assim Elloe pôs-se de novo a chorar.

• • • •

– Mas esperem! Lá vem a cavalaria! Todos os seus favoritos da Grande Arena! Korg, o kronano! Hiroim, o Humilhado! Logo vão se juntar a Miek, o Sem-Colmeia... que está de visual novo, bem grandão... a pequena Elloe, e o Cicatriz Verde em sua batalha final na cidadezinha condenada de An-Sara!

Depois que os últimos soldados passaram por eles na encosta, Hiroim e Korg atacaram o pelotão de discos flutuantes pelas costas, destruindo seis dos veículos e capturando três. Agora eles descem de rasante pelo pátio de An-Sara, gritando para os refugiados e aldeões que subissem a bordo. O chefe foi o primeiro a correr para um disco, mas Elloe o empurrou para longe e ajudou Miek a colocar a rainha e os nativos. Hulk e Korg posicionaram-se no muro com os últimos lança-chamas carregados, mantendo os esporos a distância, enquanto Caiera e Elloe apressavam refugiados para os discos e Hiroim evacuava grupos e mais grupos de rebeldes e aldeões para as planícies livres de Espetos, além do muro de chamas.

– Estas armas estão quase secas! – Korg berrou.

– Falta pouco! – disse Caiera. – Só mais cem para evacuar!

Seguindo um choro, ela encontrou uma criancinha escondida num beco, entre depósitos, chorando sozinha. Ela pegou o menino no colo e sorriu para ele, afagando-o debaixo do queixo, e ficou abraçada com ele junto ao peito, olhando para o alto, à espera do retorno do próximo disco flutuante. Sem dizer nada, o menino apertou-se junto dela, aninhando o rosto gelado debaixo do queixo da guerreira. Caiera canalizou o Poder antigo da terra para aquecer a pele no ponto em que tocava a dele. Sentiu as lágrimas da criança cessando e a respiração entrecortada acalmar-se contra sua clavícula.

– Trabalhando com o inimigo agora, Sombra?

Caiera virou-se e viu o orbe comunicador do Rei Vermelho flutuando do céu cheio de fumaça.

– Não me esqueci do meu juramento para com você, sua graça – disse ela. Lançando um olhar preocupado para Hulk, no alto do muro, disparando chamas contra os Espetos, Caiera disse as palavras que sabia que devia dizer. – Assim que seus súditos estiverem fora de perigo, eu matarei o Cicatriz Verde.

– Basta – disse o Rei Vermelho. – Já vimos você tentar. Você não pode matar Hulk. Ou *não quer*. Foi por isso que soltei os Espetos.

Caiera olhou estupefata para a imagem flutuante do imperador. O rei estudou o rosto de sua guarda-costas e abriu um sorriso quando percebeu a compreensão ficar evidente na expressão dela.

– *Você* os soltou? – ela sussurrou.

– Que coisa linda – disse ele. – Após todos esses anos, você ainda se surpreende com as coisas. Você é mesmo boa demais para este mundo.

Caiera sentiu que o menino virou o rosto debaixo do queixo dela e percebeu que ele olhava diretamente para os olhos do Rei Vermelho. O imperador fez uma careta, olhando com desgosto para a criança.

— Mas você me traiu, não?

— Não — disse ela.

— Sim — ele retrucou. — Eu lhe dei ordens. Até *gritei* ordens. Mas você fingiu que não ouvia. E agora aí está você, lutando por monstros e pela escória, mas não por mim. Caiera, a Quebra-Juramentos. Adeus.

Um zumbido discreto preencheu o ar. Caiera olhou para o alto e viu bombas letais se soltando da barriga de um couraçado imperial que emergia de uma enorme nuvem de fumaça bem acima.

— Tô com medo — disse o menino.

— É só fechar os olhos — disse Caiera.

Quieto e obediente, o menino fechou os olhos bem apertados e enfiou a cabeça debaixo do queixo de Caiera. Ela sentiu o coraçãozinho dele martelando, mas a respiração continuava calma e constante, e ela soube que ele confiava nela. Vira Caiera, a Fortaleza, cair do céu e enfrentar o perigo ilesa, ateando fogo nos Espetos para salvar a aldeia dele. Sabia que ela o protegeria para sempre.

A bomba explodiu. A pele do menino foi carbonizada num instante. O cérebro evaporou e os ossos foram pulverizados. Quando as chamas cederam, Caiera ficou paralisada, vendo as cinzas da criança soprando sobre seus braços vazios.

Lágrimas escorreram por suas bochechas pétreas.

Por uma era, ela não ouviu mais nada. Logo seus sentidos foram retornando aos poucos, e seus ouvidos registraram o crepitar do fogo e o soprar do vento.

E então ela ouviu um coração a bater, firme e sincero.

O Cicatriz Verde aproximou-se por entre as cinzas e estendeu a mão para ela.

• • • •

O último disco flutuante partiu da cratera fumegante onde antes estivera a aldeia de An-Sara. Cobertos de lodo e cinzas, Hiroim, Korg, Elloe, Hulk e Caiera entreolhavam-se calados num silêncio solene.

— Você, que será a nós unida pela guerra, fale seu verdadeiro nome e una-se a nós para sempre — disse Hiroim, o Humilhado.

Caiera respirou fundo. Por tantos anos, esforçara-se tanto para manter-se fiel ao Tratado das Sombras. Tão estranho que, no final, deixá-lo de lado tenha sido tão fácil. Soltando lentamente o ar, ela sentiu todo o seu mundo rachar e ruir, restando-lhe somente uma alegria feroz e ardente que ela mal compreendia.

– Eu sou Caiera, a Fortaleza. Já fui a sombra do imperador. Agora vou lutar ao seu lado, enquanto todos nós vivermos. Ou enquanto eu não tiver rasgado o Rei Vermelho ao meio, do alto a baixo.

Hulk abriu um pequeno sorriso para ela.

– Por mim, ótimo.

Ele se voltou para o céu e ergueu os braços enormes no ar.

– Venham aqui, seus rosinhas imbecis!

Os aristocratas do Cruzador da Alegria berraram e riram e agarraram uns aos outros enquanto a nave virava, aproximando-se do Cicatriz Verde. A operadora da câmera inclinou-se para fora, por uma escotilha, com o assistente segurando-a pelo cinto, e focou suas lentes no monstro sobre o qual o mundo inteiro estava falando.

– Você tentou nos matar com espadas e lanças. Você tentou nos matar com bombas. Você tentou nos matar com seus Espetos ridículos. Mas isso só nos deixou muito *bravos*. Então se prepare, Rei Vermelho, seu covarde. Nós vamos te pegar.

• • • •

O Rei Vermelho, vendo o rosto de Hulk em seu disco de comunicação, sentiu os músculos tremendo com a raiva que percorreu seu corpo inteiro. Ninguém jamais falara assim com ele e continuara vivo. Ninguém. Nem mesmo o pai, imperador antes dele.

O monarca virou a aba de gravação na lateral do aparelho, querendo que todo cidadão de Imperia visse o rosto dele e soubesse de sua ira.

– Vou matá-los todos – disse. Furioso, o rei sorriu, chegou mais perto do aparelho e repetiu a frase com pronúncia totalmente convincente e frisante. – *Vou matá-los todos.*

LIVR

ical
ALIANÇA

12

HIROIM, KORG E ELLOE tomaram três dos discos flutuantes para guiar seis patrulhas imperiais em direções diferentes, a fim de cobrir a fuga dos rebeldes e refugiados do Cicatriz Verde. À noite, todos convergiram num local sugerido pelo quinto prefeito: o patamar mais baixo da Caverna dos Suspiros, onde soldado imperial nenhum ousaria entrar por medo do monstro de lava que vivia à espreita, nas piscinas de magma.

Mas todo mundo sabia que o Cicatriz Verde não tinha medo dos monstros de lava.

Sem-Nome estava agachada sob a soturna meia-luz fornecida por um pequeno fosso de lava, balançando um bonequinho verde no ar.

– O Cicatriz Verde passou pelo Grande Portal, despencou pelo ar e caiu esmagando o chão! – disse ela, metendo o boneco num montinho de gravetos e pedras.

As crianças imperiais e os nativos sentados em frente a ela soltaram exclamações, admirados. Sem-Nome ergueu três bonecos com lanças de mentira e as fincou no boneco verde.

– Enfraquecido pela jornada, ele sangrou quando os soldados o cortaram. E foi assim que o escravizaram. E o venderam. Mandaram-no para morrer enfrentando os monstros do Rei Vermelho nas areias da morte!

Sem-Nome baixou a cabeça para entrar na cena e brandiu seus tentáculos em sua melhor imitação de grande demônio. Ela içou o boneco verde com um tentáculo e o meteu na própria cara e nos ombros até acabar deitada de costas, se contorcendo, o boneco verde empoleirado triunfante na barriga.

– Mas vejam só vocês – disse ela, piscando para as crianças. – Ele era um monstro maior que todos os outros.

As crianças soltaram gritos, riram e cutucaram Sem-Nome, rugindo como o Cicatriz Verde e rolando na terra. Os soldados ao redor erguiam os pés para não atrapalhar, rindo muito também.

Do outro lado da caverna, Miek e Elloe cuidavam da rainha, trocando o cataplasma aplicado aos ferimentos. O adestrador de animais de An-Sara, um velho nervoso que fora responsável por tomar conta da rainha pelos longos anos em que permanecera aprisionada, murmurava baixinho a Miek o que fazer, evitando o contato visual. Após descobrir quem era o cuidador e o que fizera, Miek tentara jogá-lo para fora do disco flutuante durante a evacuação. Elloe interviera, apontando que os ferimentos da rainha demandariam cuidado especializado. E o adestrador teria ainda mais afinco em mantê-la viva se soubesse que a própria vida dependia disso.

Contudo, agora, o sangramento da rainha quase cessara. Ela preenchia o ar com um cheiro cálido e confortante que acalmava a todos dentro da caverna. Quando o adestrador dos animais tropeçou nas pedras enquanto transportava um balde de água, Miek o segurou pelo cotovelo, por reflexo. O adestrador agradeceu gentilmente antes de perceber que as palavras tinham saído pela boca. Ficaram os dois se olhando por um momento, em choque. Foi então que o riso fino e gentil da rainha preencheu o ar, e Elloe sentiu um peso enorme ser retirado do peito.

....

Hiroim e Korg estavam com Hulk na beirada de uma elevação, observando o acampamento. Korg ria-se quando via Miek e o adestrador trocando sorrisos constrangidos. Hiroim, por sua vez, continuava incrédulo, indignado.

– Qual é o problema, Hiroim? – perguntou Korg. – Todos estão se dando tão bem.

– É, eu sei. E uma coisa dessas, eu nunca tinha visto. – Hiroim olhou preocupado para os amigos. – Nenhuma vez, em minhas vinte estações de infância e aprendizado. Nem nas longas estações de humilhação, solto pelo mundo. Nem em minhas trinta estações de serviço para Angmo, o Grande. Os imperiais sempre odiaram os nativos, e os nativos sempre odiaram os imperiais. E ambos sempre tiveram receio das sombras, e as sombras sempre desprezaram os outros dois. É assim que funciona Sakaar. Um mundo de ódio no qual a paz vive apenas nos Tomos. Mas agora nativos e imperiais trabalham lado a lado, vendo monstros cuidando de seus filhos.

– Bom, isso é uma coisa boa, certo? – disse Korg. – E faz sentido. Temos um inimigo em comum. Em Krona, duas montanhas sempre põe de lado uma mágoa para enfrentar um bando de devoradores de terra.

Hiroim lançou para Hulk um olhar desconfiado. Hulk o encarou de volta.

– É melhor não falar – disse Hulk.

– Falar o quê? – Hiroim retrucou.

– Você diz que não acredita na profecia. Mas vejo a palavra bem aí, na ponta de sua língua.

– Eu não ia...

– Não fale.

Hiroim ficou encarando Hulk, boquiaberto. Hulk sorriu, e Korg meteu um tapa nas costas de Hiroim, soltando uma gargalhada alta e rouca. As crianças pararam de cutucar Sem-Nome por um instante, e gritaram e riram junto com os outros, mesmo sem entender a piada. Os adultos pararam o que faziam para rir também.

Hiroim finalmente sorriu, sacudindo a cabeça. Ele logo avistou Caiera vindo até eles, tendo chegado da superfície com expressão séria e tensa.

– Cicatriz Verde, chegou a hora.

• • • •

No primeiro confronto da Guerra do Cicatriz Verde, o Rei Vermelho enviou mil soldados imperiais para guiar uma massa de Espetos de três passos de pedra de largura para as montanhas nas quais se escondia o povo do Cicatriz Verde. Os Espetos consumiram mil acres de savana, além de três bandos de trizelas. Estavam a ponto de invadir as cavernas escondidas nas montanhas quando o Cicatriz Verde e seus Gladiadores emergiram para encontrar-se com eles.

– Soldados do império! – gritou Caiera, a Fortaleza. – Quando eu era a sombra do imperador, nós lutamos lado a lado! Vocês vivem hoje porque confiaram em mim, tantas e tantas vezes! Lembrem-se dessa época e escutem o que tenho a dizer! Nós não somos seus inimigos. Os Espetos são. A cada segundo que vocês os permitem viver, estão pondo em perigo cada ser vivo deste mundo. E as suas vidas e as vidas de seus idosos e de suas crianças!

Contudo, os soldados imperiais, jovens demais para se lembrarem da primeira Guerra dos Espetos e mais temerosos do rei do que de qualquer outro poder, acionaram seus lança-chamas. Os Espetos avançaram. Então o Cicatriz Verde ergueu os punhos, socou o chão e abriu um abismo que explodiu com um mar de magma.

Os Espetos tropeçaram para dentro da lava e se incendiaram. Um imenso monstro de magma surgiu das profundezas e capturou soldados imperiais que fugiam da beirada da fenda. Um punhado de escravos imperiais que cuidava de dramutes amedrontados quase caiu da beirada, mas foi salvo por Caiera, a Fortaleza, que saltou por cima do rio, afastando o perigo. Mas os soldados do Rei Vermelho dispararam suas armas, estilhaçando o patamar de pedra no qual ela estava, e Caiera despencou para a lava abaixo.

Hulk saltou por cima do lago borbulhante para salvá-la. Os dois pousaram em segurança, num pedaço de pedra no meio do rio de lava, e ela sorriu para ele, envolta por vapor e cinzas espiralantes.

– Você não precisava ter feito isso – disse. – Eu sou a Fortaleza. Em forma de pedra, o fogo não me fere.

– Eu sei – disse Hulk, sem tirar seus olhos dos dela.

Caiera ficou vermelha. O monstro de lava soltou outro rugido. Hulk saltou por cima do magma, com um braço envolto na cintura dela. Caiera sentiu o sopro forte do vento no rosto, e seu coração pulou de alegria quando ela viu ameboides flutuando preguiçosos contra um fundo de nuvens rosadas acima. O mundo ficou em silêncio quando ela e Hulk alcançaram o clímax do salto por cima das nuvens. Da última vez em que voara pelo céu desse jeito, Caiera estava tentando matar Hulk. Nesse dia, porém...

Ele sorriu muito gentilmente para ela. Apertou um pouco mais o braço em volta de sua cintura e os dois mergulharam de volta ao chão, furando as nuvens, ao som da comemoração dos rebeldes, pois o que restava do exército imperial destroçado fugia dali, pelas planícies.

••••

Quando Hulk e Caiera caíram com tudo na savana, ergueram uma nuvem de poeira visível num raio de seis passos de pedra. Os rebeldes do acampamento correram juntar-se a eles, junto de outros duzentos refugiados deslocados pelos Espetos.

Nativos de todos os matizes e tamanhos reuniram-se em torno de Miek e da rainha, trocando feromônios numa grande algazarra. Vieram de uma dúzia de colmeias diferentes, mas, quando a rainha estendeu bem o braço e tocou o ombro de Miek, todos respiraram fundo, inalando a fragrância pungente que se desprendia dela, e se juntaram ainda mais. A maioria não tinha visto uma rainha desde que nasceu. Ninguém vira uma rainha viva em anos. Começaram a cantar e chorar e rir, e um monte deles chegou a desmaiar. O adestrador corria por entre o grupo, checando temperaturas e administrando água e mel.

Hulk sentiu o cheiro da empolgação dos insetívoros. Mas não tirava os olhos de um disco flutuante que se aproximava deles, vindo do sul. O quinto prefeito desmontou antes mesmo de o disco parar por completo e foi até Hulk e Caiera com um caminhar rígido e ansioso.

– Mais três naves dos Espetos liberaram esporos ao norte, ao leste e a oeste. Os imperiais os estão guiando até nós pelas florestas e aldeias. Estão consumindo cada pessoa, planta e fera que encontram pelo caminho.

Hulk contemplou o campo lotado de refugiados e sentiu um assomo de raiva percorrer suas veias. Aquele era o planeta idiota deles. Eles deveriam saber o que estava por vir. Mas apenas se misturavam, batendo papo, compartilhando comida, água e histórias, tranquilos por saber que o Cicatriz Verde os protegeria. Hulk trocou olhares com Caiera, e logo pensou na aldeia dela, no pai dela sendo consumido pelos Espetos, e no Rei Vermelho, rindo.

– Que bobagem – disse, virando-se para o disco flutuante do quinto prefeito. – Fiquem aqui, de olho no acampamento. Vou dar um jeito nisso.

Korg pôs a mão no corrimão do disco flutuante.

– Pele-Verde, sei que você está ficando mais forte – disse. – Mas nem mesmo você pode dar conta da horda de Espetos e do exército do Rei Vermelho sozinho.

– Você não entende, Korg. Estou *bravo*. E quanto *mais bravo* eu fico, *mais forte* eu fico.

– O que acontecerá se os Espetos o dominarem? – disse Caiera.

– Não tem como – disse Hulk. – Você viu que não.

– Eu os vi penetrando sua pele até serem incendiados por mim. Por mais forte que seja, você é feito de carne e osso. E se eles controlarem a sua força? O que será de nós?

Hulk encarou Caiera com um olhar feroz.

– O mesmo que acontecerá se ficarmos fugindo e esperando que eles nos alcancem.

••••

Muito confuso, Miek olhou para Hulk, Caiera e Korg. Tinha captado o cheiro da raiva crescente de Hulk, e seus corações aceleraram de medo. Os insetinhos ao redor dele sentiram a mudança e ficaram só de olho, cada vez mais quietos. Porém, havia um cheiro muito pior no ar...

Miek virou-se para a rainha, com os corações martelando, e a viu soltar um urro alto e desesperado, e o ar ficou azedo e gelado.

••••

O adestrador foi o primeiro a ver a sombra negra serpenteando por debaixo da pele translúcida do abdômen da rainha. O Espeto rompeu a superfície da pele. Antes que pudesse pensar no que estava fazendo, o adestrador tomou o bicho e o arrancou do corpo da rainha. Os espetos do esporo imediatamente se fincaram na mão e no pulso do homem, que sentiu um fogo ardente percorrer suas veias. Nesse momento ele soube que era o fim, e moveu os lábios numa oração silenciosa. Porém, a parte da mente dele que estudara biologia e cuidara dos animais por quarenta estações subitamente desejou ter por perto um escriba com papel. Ninguém sabia que ser infectado por um Espeto era como levar a ferroada de uma abelha-de-fogo que se espalhava por todas as veias e músculos. Ninguém sabia do gosto súbito de mel que enchia a boca quando esse fogo subia pela nuca.

O adestrador virou-se e viu os olhos enormes e gentis da rainha olhando para ele. E sorriu. Claro, o mel era presente *dela*. E então os Espetos liquefizeram o cérebro dele e estouraram pelos olhos, e o homem não viu mais nada.

••••

Miek avançou e puxou o adestrador de animais, que se dissolvia, para longe da rainha. Esta pegou Miek – seu rei – pelo casco das costas e o arremessou para longe. Ele rolou pela grama, apressou-se a ficar de pé e viu estupefato o monte de Espetos que explodiram do abdômen e das costas dela. Uma dúzia de nativos correu para ela, desesperados e aterrorizados. Mas a rainha girou no lugar e os lançou para longe do perigo, pois os Espetos espalhavam-se por todo o seu corpo.

Miek avançou cambaleando, clicando freneticamente, incapaz de formular palavras. Ele estendeu os braços para a rainha e soltou um gemido que cresceu para um berro estridente.

– Você fez tudo que pôde – ela sussurrou. – E me deu tanto. Um último momento com todas as crianças que sempre sonhei em gerar. Mas você tem que fugir, pequeno rei. Nosso tempo já passou.

Miek liberou aromas, desesperado, inundando o ar com feromônios de amor e desespero e angústia e súplica. Mas os Espetos alcançaram o rosto da rainha, a quitina se desprendeu dos olhos cada vez mais dissolvidos, e ela avançou contra o rei com um rugido horrendo.

Hulk brandiu uma clava imensa e acertou a rainha pelo lado, antes que ela alcançasse Miek. Este ficou histérico e atacou Hulk por trás, derrubando-o no chão.

– Você não matando ela! – Miek berrou.

Caiera aproximou-se, muito tensa, erguendo um lança-chamas.

– Ela se foi, Miek – disse.

Miek saltou para Caiera e arrancou-lhe a arma das mãos. Ficou olhando para ela e Hulk, ofegante, o terror estampado no rosto. Então se virou para a rainha, que se levantou e se lançou contra ele com os tentáculos espinhentos.

Os filhotes berraram de desespero quando Miek puxou o gatilho e reduziu a rainha a cinzas.

• • • •

A luz púrpura projetada pelas chamas que cobriam a área prolongou o crepúsculo para bem além do pôr do sol. Os rebeldes e refugiados imperiais já haviam empacotado seus pertences fazia tempo, preparando-se para marchar para onde quer que o Cicatriz Verde ordenasse. Porém, Miek e os outros nativos ainda estavam agrupados em frente ao fogo, trocando essências e rezando.

– É hora de irmos para o deserto, Hiroim – disse Caiera. – Devemos convocar os anciões das sombras. Eles não podem mais continuar escondendo seu poder.

– Não adianta nada, Fortaleza. Nós quebramos juramentos. Somos anátemas.

– Não. Eles nos escutarão e ajudarão – disse ela. E acenou para Hulk. – Por causa *dele*. Você vem conosco, Holku.

– Nem pensar – disse Hulk. – Eu já disse que vou pôr um fim nisto tudo. E não quero ajuda de ninguém.

Caiera encarou Hulk e virou pedra, fazendo um estalo. A terra se mexeu sob os pés de Hulk. Pedras ergueram-se, espiralando, e envolveram as pernas dele, prendendo-o ao solo.

– Você está ficando mais forte a cada dia – disse Caiera. – Posso sentir através da terra. Mas ainda posso derramar seu sangue e quebrar seus ossos. E isso significa que os Espetos ainda podem matá-lo. E isso significa que, se você for às cegas para o meio deles, pela raiva, eles o possuirão, e você *certamente* se tornará o Quebra-Mundos.

A guerreira não desviava seu olhar do de Hulk, escutando o coração dele a bater. Por mais imponente, imenso e furioso, ele prestou atenção. Caiera deu as costas para Hulk, e a rocha em torno dos pés dele dissolveu-se em pó.

– Os anciões das sombras somente tomarão parte nesta luta se *acreditarem*, Hiroim – disse ela. – Você tem de convencê-los.

– Acreditar *em quê*? – perguntou Elloe.

– Nessa tolice blasfema – disse Hiroim, desgostoso, acenando para Hulk. – Que ele é o ser por quem eles esperam. O curandeiro. O Salvador. O Filho de Sakaar.

Um pequeno nativo amarelo estalou, cuspiu e limpou as lágrimas dos olhos.

– Hulk não é Filho de Sakaar – grunhiu ele. – Filho de Sakaar é *Miek*.

Miek voltou sua atenção do fogo e liberou um sinal químico, alertando o pequeno para que ficasse quieto. Mas o insetinho empinou o queixo e clicou as mandíbulas.

– Eu conheço as rimas antigas – disse. – "Una-nos e destrua-nos." Miek herói. Miek rei. Ele é o Filho de Sakaar e o Quebra-Mundos. Ele nos salvou e nos destruiu para sempre.

– Miek não é Filho de Sakaar – disse Miek. – Nem Quebra-Mundos. Apenas Miek.

Miek levantou-se e voltou-se para a colmeia. Um cheiro forte e quente os encobriu, mais espesso que o da fumaça do fogo.

– Mas você certo, irmãozinho. Nós salvando e destruindo, todos nós nativos. Nós vivendo vida nova, mas já morrendo morte. Sem rainhas, sem filhotes, sem nada. Então quando Cicatriz Verde e sua sombra correndo a oeste por ajuda, nós nativos indo para leste para despistar Espetos.

– Não – disse Hulk.

– Você não escolhendo, Duas-Mãos – disse Miek. E voltou-se para Caiera. – Seja lá o que aquelas sombras tendo, única coisa que resolvendo tudo isto, não?

Caiera fez que sim, muito séria.

– Até onde eu sei.

– E vendo Duas-Mãos único jeito de eles decidindo entregando?

Caiera e Hiroim trocaram um olhar, e este fez que sim.

– Então não mais conversando. Só lutando pelos amigos. E por nós mesmos. – Miek virou-se para os insetos. – Aqueles rosinhas fracotes matando a gente, irmãos. Agora nós matando eles.

Os nativos se levantaram, chilreando, e começaram a espalhar-se pelo acampamento e a buscar suas armas e escudos. Elloe olhou para o quinto prefeito e dirigiu-se aos refugiados e rebeldes imperiais.

– Os idosos e doentes e as famílias com crianças marcharão com a sombra e o Cicatriz Verde para o deserto – disse Elloe. – E nove de cada dez de nossos guerreiros devem unir-se a eles para proteger os mais fracos. Porém, se seu coração assim mandar, um em cada dez deve vir comigo para lutar ao lado de nossos amigos nativos.

Meia dúzia de rebeldes de cabelos mais grisalhos separou-se da multidão e juntou-se a Elloe e o quinto prefeito, que já se dirigiam para perto de Miek e seus irmãos. Miek olhou para Elloe com os olhos marejados, e deu-lhe um tapinha nas costas com uma das garras. Os filhotes ovacionaram, aos pulos.

– Miek – disse Korg. – Deixe os filhotes aqui.

– Não, nós ficando com Miek – disse um pequeno nativo. – Lutando pela colmeia.

Os demais fizeram a maior algazarra.

Os olhos cor de âmbar de Korg ficaram marejados e ferozes.

– Sei muito bem como isso vai terminar – disse, voltando-se para Hulk.

Este apenas o encarou de volta.

– Sou feito de pedra, Pele-Verde. Ainda estarei por aqui bem depois de você estar morto e enterrado. Então não devia mais me importar. Mas...

O homem de pedra não concluiu o que dizia.

– Fale logo – disse Hulk.

– Até algumas horas atrás, eu achava que um novo mundo estava se formando. Mas agora olho dentro dos olhos daqueles nativos... e Miek e Elloe... e receio que já tenhamos fracassado. Eles só conhecem o ódio, Pele-Verde. Vá para aquele deserto. E traga de lá um pouco de esperança.

Hulk contemplou o deserto. Tentou trazer de volta aquela imagem do rio, da fazenda, as crianças brincando no gramado. Mas a visão se dissolveu como um sonho meio esquecido, e ele apenas grunhiu e fez careta.

Korg soltou um suspiro de cansaço, deu um tapinha no ombro de Hulk e saiu andando, para o oeste, seguindo Miek e os outros em direção aos Espetos.

....

Hiroim guiou o resto do acampamento para o deserto. Com Hulk calado e soturno, e sem os insetos para chilrear e se comunicar, a coluna caiu num silêncio gélido. Passadas três horas, foram varridos por uma intensa tempestade de areia. Caiera e Hiroim percorreram as fileiras, ajudando soldados nervosos a aprumar as tendas. Logo todo o acampamento fora montado para a noite, e todos se ajeitaram em suas barracas, ouvindo o vento uivar por entre eles.

– No primeiro dia, veio o fogo. No segundo, o vento – murmurou o chefe de An-Sara.

Os imperiais em torno dele se mexeram e murmuraram, olhando discretamente para Hulk, sentado junto de Caiera do outro lado da barraca, de cabeça baixa, olhando para a escuridão.

– Não blasfeme, vovô – murmurou Hiroim.

– Vai me dizer que não está vendo os sinais, padre? – disse o idoso. – Ele ergueu as montanhas. Uniu os clãs. E agora a Caminhada do Profeta?

Hiroim olhou para Hulk, sentado tão imóvel que podia até estar dormindo. Porém, Caiera chamou a atenção de Hiroim com um olhar aceso e cheio de sentido, e o padre entendeu que Hulk estava ouvindo tudo.

– Claro – disse Hiroim. – Todos nós vimos os sinais. E você foi tentado a acreditar. Afinal, viemos até aqui convencer os anciões de que o Filho de Sakaar está entre nós, em carne e osso. Mas é claro que vocês sabem que é uma grande blasfêmia. Já disse isso. O Profeta usa o Filho de Sakaar, e o Quebra-Mundos, apenas como parábolas, quando fala das provações que cada um de nós enfrenta na vida.

O idoso ficou olhando para Hiroim com a cara lavada. Hiroim sorriu. Vira essa expressão no rosto de cada criança para a qual pregara. Quem é que quer parábolas neste mundo? Todo mundo quer profecias.

– Eu nasci num templo saka; fui criado para me tornar padre – disse Hiroim. – Mas, quando criança, li os mesmos Tomos que você leu. Sonhava com o herói. O salvador. O filho de Sakaar, que apareceria para nós em carne e osso. Pior ainda, eu sonhava que podia ser eu. Pois o herói chega até nós vindo do além, e quem eram meus pais? Ninguém nunca me disse. Os sinais eram tão evidentes. Então eu me preparei. Nunca mentia. Não trapaceava, não roubava. Não profanava as obras maravilhosas do criador nem a pureza do meu corpo. Abri mão de todos os meus desejos para me tornar o receptáculo da vida encarnada. E então chegou o dia da minha iniciação no sacerdócio. Os padres me açoitaram. Sangue negro escorreu pelas minhas costas e pernas. Mas me mantive em silêncio. Eu conhecia a paz do Profeta. Os ácidos me deixaram marcas. Senti o cheiro de minha pele se queimando. Mas me mantive em silêncio. Eu conhecia a paz do Profeta. E então meu mestre sentou-se à minha frente e me olhou bem nos olhos. E então ele *soube*. Eu me desvencilhei, derrubei meu mestre no chão. E foi assim que ganhei este nome: Hiroim, o Humilhado. Pois o Profeta nos incita a ser como o Filho de Sakaar. Mas sonhar, como eu sonhava, em realmente *sê-lo*? Blasfêmia. E agora eu devo rezar por perdão mais uma vez.

Pela primeira vez, Hiroim fitou Hulk nos olhos.

– Porque eu coloquei você, Holku, para correr atrás do meu antigo sonho proibido. Mas, ainda mais vergonhosamente, eu ouso torcer para que você de fato o realize.

O idoso, olhando para Hiroim, caiu no riso.

– Você pretendia me ensinar uma lição sobre blasfêmia, padre. Acabou, do contrário, me fazendo crer ainda mais.

Caiera virou-se, intrigada.

– Quietos – disse. – Escutem.

A areia agitou-se debaixo deles, e um rugido trovejante rasgou o ar. Hulk saltou para a entrada da barraca.

Quatro grandes demônios brotaram da areia à frente, brandindo tentáculos e mostrando as presas. Hulk avançou, sacando a espada. Porém, um assovio agudo fincou o ar, e os demônios recuaram, mostrando os barrigões.

– Eles não vieram *lutar* com você, Cicatriz Verde. Apenas *encontrá-lo*.

Três sombras de pele cinza apareceram num morro de areia, logo atrás dos grandes demônios.

– Os anciões – sussurrou Hiroim.

13

A SACERDOTISA SAKA OCAIME, agora a primeira anciã da sombra, fora a quarta anciã quando Caiera desaparecera, ainda menina, tantos anos antes. Quarta anciã era posição alta o bastante para que a sacerdotisa participasse de todas as decisões de guerra e paz, e a abdução de uma Fortaleza pelo filho do imperador fora uma quebra chocante do Tratado das Sombras. Contudo, o príncipe rei escondera bem seu crime, em meio ao caos da invasão dos Espetos. Ninguém do conselho soubera da existência de Caiera até dois anos depois que Angmo, o Grande, expulsara os Espetos de volta para suas naves negras e os exilara na lua. Somente quando o príncipe emergiu em público com uma Fortaleza para travar as batalhas dele as sombras descobriram a história verdadeira. Ocaime, então quarta anciã, votou pela guerra. Mas, antes que os votos pudessem ser contados, Angmo morreu em seu misterioso acidente de caçada e o príncipe tornou-se rei, com Caiera, a Fortaleza, como sua sombra escolhida, sob as provisões do Tratado das Sombras.

Quando o conselho se recusou a declarar o tratado nulo e escuso, Ocaime saiu furiosa do salão de reuniões, chutou estrados e quebrou as dobradiças dos portões. Caminhou no deserto por doze dias, chorando por Caiera, a Fortaleza, uma menina que ela jamais vira, mas por cujo destino ela para sempre sentiria culpa e perda.

Porém, agora Ocaime era a primeira anciã, e jurara proteger seu povo, acima de tudo. Ocaime aprumou os ombros, alisou os longos robes de sua posição e passou por entre os grandes demônios para ver a mulher que aquela menina se tornara.

– Caiera, a Fortaleza?

– Sim, primeira anciã.

– Você serve o imperador.

– Não mais.

– Então violou o Tratado das Sombras? Você traz o mal sobre o nosso povo.

– O imperador libertou os Espetos. Ele trouxe o mal sobre todos nós.

– Você deve retornar para ele e emendar essa falha.

O ar crepitou, e Caiera, a Fortaleza, virou pedra. A primeira anciã nunca tinha visto a transformação acontecer, e seu coração pulou de horror e alegria e pesar. Aquela Fortaleza deveria ter crescido junto de seu povo, partilhando de seu dom, celebrada como a campeã. Ocaime lutou contra a vontade de chorar.

– Você não entende, anciã? – disse Hiroim. – Chegou a hora de consertar tudo.

Ocaime recompôs-se e virou-se para o padre.

– Hiroim, o Humilhado. Sua presença aqui não é permitida. Quem é você para falar de consertar qualquer coisa?

– Eu já os chamei de blasfemos – disse Hiroim, olhando de Ocaime para o segundo e o terceiro anção atrás dela. – Mas agora tudo pelo que vocês se esforçaram tem acontecido. As profecias estão se realizando, assim como foram escritas, assim como vocês acreditavam. O Filho de Sakaar está entre nós.

Hiroim deu um passo de lado, e os anciões viram Hulk pela primeira vez, que olhou para eles com desconfiada hostilidade. A primeira anciã ouviu o segundo soltar uma exclamação bem audível. E teve que lutar contra a vontade de dar-lhe um chute na canela.

– Ele ainda não brilha com as estrelas – disse Hiroim. – Mas ergueu as montanhas. Uniu os clãs. De seu sangue, cresceram as vinhas. No primeiro dia, veio o fogo. No segundo, o vento. As feras recuaram perante ele.

O segundo e o terceiro anção tremiam. Ocaime estreitou os olhos.

– Você diz isso, mas que prova...

– Vi tudo isso com meus próprios olhos. – Pela primeira vez desde que os Gladiadores viram Hiroim, o padre ergueu a voz, com um fogo no olhar. – E, embora eu seja o humilhado, sombra nenhuma até hoje questionou a minha palavra. Eu sou e para sempre serei um padre saka, primeira anciã Ocaime. Retire a calúnia ou me encontre na areia, com suas armas.

Ficaram todos imóveis. A primeira anciã ficou olhando surpresa para Hiroim. Voltou-se para Caiera, que olhava para ela tão firme e verdadeira quanto a pedra na qual parecia ter sido esculpida. Finalmente, a primeira anciã olhou para Hulk. Os olhos ilegíveis dele não entregavam nada.

Ela já tirava os olhos do rosto dele quando viu os refugiados, logo atrás, emergindo de suas barracas. Eles assimilaram a cena, olhando dos anciões para os Gladiadores, percebendo que algo de crucial acontecia naquele silêncio esquisito. Medo e dúvida estamparam seus rostos. Um por um, no entanto, foram olhando para Hulk, e a tensão abandonou seus ombros.

A primeira anciã olhou de novo para Hulk. Sozinho, ele era uma cifra. Mas com aquelas pessoas...

Ocaime respirou fundo. Depois deu meia-volta e voltou por entre os demônios para a escuridão.

– Então venha – disse. – E seja provocado.

Hulk ficou intrigado, mas acompanhou Hiroim e Caiera, guiados todos pelos anciões das sombras para a escuridão. Os grandes demônios rugiram e se enterraram de volta para debaixo das areias, o sol apareceu no horizonte, e ao povo do Cicatriz Verde restou esperar.

••••

Hulk emergiu da escuridão para ver os anciões entrando num imenso edifício de pedra bem no meio do deserto. Atrás de si ele viu Caiera e Hiroim, mas os refugiados e o acampamento não estavam mais à vista. Hiroim olhou para trás, para a sequência de ermos morros de areia, depois olhou para Hulk e deu de ombros.

– Nenhum forasteiro deve saber o verdadeiro caminho que leva ao Templo dos Anciões – disse. – Então eles nos transportaram.

– Ilusão ou mágica? – Caiera perguntou baixinho.

– Vai ver foi só milagre – disse Hiroim.

Caiera e Hulk tiveram a mesma reação de incredulidade, e ao mesmo tempo, e se olharam, um tanto surpresos. Hiroim ergueu uma sobrancelha, com o mais sutil sorriso no rosto, e pôs-se a seguir os anciões pelos portões da torre.

••••

– Que diabos é isso? – murmurou Hulk.

Os guerreiros viram uma imensa torre dentro da torre, uma estrutura cônica de pedra lisa e polida que brotava do piso de pedra trabalhada. Uma energia azul emanava de grandes rochas cristalinas no topo do cone. Ventos circulares sopravam por toda a câmara, carregados de eletricidade.

– Esse é o veículo que trouxe as sombras para cá, de nosso mundo natal – disse Ocaime, e Hulk reparou que via a cauda angulada de uma aeronave gigantesca, cujo corpo estava enterrado no solo abaixo de seus pés. – Nós nos perdemos, estávamos longe de casa, mas este planeta nos nutriu, e então nos esforçamos para protegê-lo com a nossa campeã, como sempre foi feito. Mas o Poder Antigo só visita uma geração, e perdemos Caiera faz muito tempo.

A primeira anciã olhava para Caiera com tristeza. Ela se voltou para a nave e tocou o casco cálido de pedra com a palma da mão.

– Então disparamos os motores antigos e criamos o Grande Portal. Ele trouxe os guardas cabeças da morte, que lutaram na primeira invasão dos Espetos. Trouxe o Selvagem Prateado, que libertou os escravos do Rei Vermelho. E, finalmente, trouxe você.

Hulk escancarou os olhos.

– Por quê? – perguntou.

– Hiroim, o Humilhado, nos considerava blasfemos.

– Não mais – disse Hiroim.

– Pois acreditamos nas histórias antigas – disse Ocaime. – O Filho de Sakaar virá para todo o povo deste planeta, para nos salvar e nos unir.

– O Profeta nos diz que o Filho de Sakaar vive dentro de cada um de nós – disse Hiroim. – Mas vocês preferem olhar para fora, sondando o universo em busca de um salvador de carne e osso. Então, agora que o encontraram, devem obedecê-lo quando ele chamar.

– Não tão rápido, criança. Seu amigo pode parecer com ele. Mas ainda não passou no teste.

– Teste? – disse Hulk. – Não vem, não.

A primeira anciã apenas sorriu, e Hulk foi encoberto pela escuridão. Ele agachou, punhos cerrados, e girou, mas a escuridão o envolvia por completo. Calado, ele procurou escutar o bater familiar dos corações de seus amigos. Ouviu apenas silêncio. Até que a voz da primeira anciã ecoou ao redor.

– Prepare-se para o ritual de provações de saka.

Hulk bufou.

– Não tenho medo de nada.

– Não quero que tenha medo – disse a anciã.

Uma luz azul fulgurou, e uma dor terrível atravessou o cérebro de Hulk. Ele caiu de joelhos, de volta na Boca, retraindo-se com o golpe que levara de Korg. Rugiu de dor com a poderosa lança de Miek, fincada mais uma vez no peito. Fervilhou de raiva quando Caiera canalizou o Poder Antigo pela palma da mão para rasgar o peito dele, explodindo o coração.

– Você os chama de amigos. Mas eles o desafiaram. Lutaram contra você. E o farão de novo. Porque você é um monstro.

Hulk ficou de pé, olhando feio.

– Ah é? Eles também são.

A primeira anciã apareceu por um instante num lampejo de luz azulada, os olhos penetrantes fuçando a mente dele.

– Olhe mais a fundo, Cicatriz Verde – disse.

Uma luz quente de tão branca tomou o lugar da escuridão. Os heróis fracotes da Terra apareceram feito gigantes perante Hulk, do tamanho de prédios – orgulhosos, brilhantes, zombeteiros.

– *Está achando que é um de nós agora?* – disse Reed.

– *Um herói? Enviado para salvar o mundo?* – disse Tony.

– *Quem você amava?* – perguntou o Estranho, agachando, encarando Hulk com um olhar sinistro e penetrante. – *E quantos ainda estão vivos? Isto sempre acabará do mesmo jeito. Você matará todos eles.*

Hulk olhou para baixo e viu o cadáver sem um dos braços de Lavin Skee deitado numa poça de sangue na areia. A pequena Elloe, derrubada pelas flechas. Miek, de crânio quebrado, cercado por nativos em chamas, berrando. Hiroim, Korg e, finalmente, Caiera, olhando para ele, os olhos vidrados dissolvendo em pó.

Hulk viu tudo com os olhos ficando brancos de raiva. A voz do fracote, lá no fundo, começou a gritar a mesma mensagem fraquinha, a única palavra que sabia, sem parar. *Não não não não não...*

Porém, a voz foi ficando mais forte e mais alta, e Hulk entendeu, para sua surpresa, que não estava falando *para* ele. Estava falando *junto com ele*. Hulk juntou sua voz à de Banner, e juntos eles encararam os heróis, juntos eles rugiram para o olhar penetrante da primeira anciã, juntos eles piraram de raiva e esmagaram e esmagaram.

• • • •

Caiera tomou Hulk pelo braço. Ele hesitou um pouco, mas logo se virou e viu as paredes estilhaçadas da grande câmara dos anciões ruindo ao redor. Ocaime estava agachada, protegida por Hiroim, olhando horrorizada para ele.

– Como você pode *unir* quando seu coração é tão cheio de ódio? – A anciã estava arrasada. – Você não é o Filho de Sakaar.

– Não importa! – disse Caiera. – Com a sua ajuda, ele pode derrotar os Espetos! Pode salvar milhões de pessoas que...

– Vocês têm de partir – disse a primeira anciã, deu meia-volta e sumiu na escuridão.

Hiroim e Caiera olharam-se em silêncio, devastados, e as sombras foram se espalhando pela parede.

– Dane-se – disse Hulk.

Ele ergueu seu punho enorme e socou o piso de pedra, rachando os desenhos lindamente talhados e disparando rachaduras enormes que percorreram o chão. Bastou agachar, fincar as mãos no piso e erguer, e Hulk liberou a imensa espaçonave de pedra da terra que a aprisionara por dez mil anos.

– Já consegui o que eu queria.

14

PASSADA UMA HORA DESDE QUE HIROIM E CAIERA puseram-se a guiar Hulk e os refugiados para oeste, no deserto, Sem-Nome avistou a primeira nova onda de Espetos se aproximando pelo leste. Korg seguiu marchando sozinho, gritando e acenando, na esperança de atrair a horda para o sul, para longe do deserto. Porém, após dar umas lambidas curiosas nos braços rochosos dele, os esporos seguiram a rota, e o homem de pedra concluiu que não serviria como isca.

Elloe e alguns dos nativos mais rápidos foram em seguida. Os Espetos responderam no mesmo instante, deixando a trilha que dava no deserto para caçar a carne mais próxima. Elloe e os nativos escalaram a encosta de um morro, Sem-Nome e Miek desceram para levá-los para a segurança, e Korg socou as rochas ao alto, gerando uma volumosa avalanche que encobriu os Espetos. Somente fogo podia matar os esporos. Mas quase dez metros de entulho os conteriam por tempo suficiente para Miek pensar num plano.

E, como sempre, o plano se resumia a guerrear.

– Nós sabemos que nós podendo guiando os Espetos – disse ele. – Então, a pergunta é *para onde*. E não há lugar melhor do que onde o Rei Vermelhando deitando aquela cabeça idiota dele!

– Muito mais gente além do Rei Vermelho mora na Cidade da Coroa – disse Korg. – Milhares de inocentes...

– Não são tão inocentes assim – disse Elloe, cheia de mágoa. – Centenas deles deixaram a cidade para seguir o Cicatriz Verde. Os que ficaram fizeram uma escolha.

– E quanto às crianças? Os bebês. Os idosos e os doentes. Eles também fizeram uma escolha?

Após uma hora de discussão, concordaram em usar os contatos do quinto prefeito para mandar um aviso à Cidade da Coroa, dando ao povo um dia para evacuar antes que os Espetos fossem direcionados para os portões. Miek ficou um pouco irritado; já Elloe ficou aliviada, em segredo. Korg deu tapinhas nas costas de ambos, agradeceu por ajudarem na resolução do problema, e comentou rapidamente que todos ali provavelmente seriam devorados antes de chegar à Cidade da Coroa, de qualquer maneira.

Enviado o quinto prefeito para a capital, os demais se assentaram para esperar que os Espetos emergissem de debaixo do morro desabado.

Contudo, os Espetos não precisavam desse encorajamento. Duas outras hordas já avançavam para a Cidade da Coroa.

• • • •

O ministro das Ciências previra exatamente um desastre desses no instante em que o imperador liberou a primeira nave de Espetos. A biologia dessas criaturas era simplesmente adaptável e virulenta demais. Um marabumbo podia alçar voo infectado e começar uma nova horda a cem passos de pedra de distância. Contudo, o ministro não expressara suas preocupações por receio de acabar tendo o mesmo destino que o conselheiro Denbo. Portanto, ele não disse nada quando o Rei Vermelho vestiu a armadura, pegou um oficial que obviamente localizara os Espetos no território dele tarde demais e o jogou pessoalmente no cerne da horda.

O rei esperou que o homem parasse de gritar e fosse completamente dissolvido na massa gelatinosa para somente então dar a seus couraçados acima o sinal para incinerar a horda com bombas letais. Ainda assim, ao anoitecer, batedores vieram informar que novas hordas se aproximavam da cidade, vindas de três direções diferentes.

O Rei Vermelho bombardeou duas destas e enviou seus guardas cabeças da morte para eliminar a terceira. Ao longo do dia seguinte, no entanto, novas hordas continuaram pipocando de lugar nenhum, cada vez mais perto das muralhas da cidade. Finalmente, o rei ordenou que os couraçados criassem um gigantesco anel de fogo ao redor da cidade. Ele enviou seus guardas cabeças da morte para patrulhar as ruas, incinerando qualquer um que exibisse quaisquer sinais de infecção.

Uma dúzia de pessoas morreu tentando atravessar o fogaréu e fugir da cidade. Outras 233 foram quase imediatamente incineradas por guardas cabeças da morte por diversos problemas de pele e resfriados, nada disso relacionado aos invasores. Pelo menos durante a segunda hora de atividade, os algoritmos dos cabeças da morte evoluíram, e somente 170 pessoas foram mortas por engano. A taxa se manteve firme em torno dos 150 por hora pelo resto do dia, depois baixou consideravelmente – talvez por mais melhorias nos algoritmos, talvez porque todo mundo que estava resfriado já tinha sido morto.

••••

A fumaça dos focos de incêndio era tão espessa que quando a espaçonave de pedra do povo das sombras chegou, na tarde seguinte, a maior parte dos habitantes da Cidade da Coroa apenas ouviu as explosões e sentiu a terra tremer. No entanto, o Rei Vermelho, do alto de sua torre, viu tudo. Quando a espaçonave de pedra surgiu pairando no horizonte, os couraçados imperiais lançaram ondas de fogo de todas as direções. Mas o Cicatriz Verde e Caiera, a Fortaleza, posicionados no casco da nave, apenas detonaram os mísseis em pleno ar.

O Rei Vermelho ficou furioso, vendo Hulk por um telescópio. O Cicatriz Verde tinha ficado ainda mais forte desde a última vez em que o vira. E Caiera lutava *sorrindo*.

A voz exaltada de um apresentador de vídeo-caixa crepitou do disco comunicador do Rei Vermelho, e o Cruzador da Alegria apareceu no campo de visão do imperador, planando acima da espaçonave de pedra. Dezenas de oligarcas embriagados riam, fazendo a maior algazarra nos deques. O Rei Vermelho escaneou o rosto de todos pelo telescópio. Estes eram o *seu* povo, os filhos e primos dos novos aristocratas que foram colocados no poder depois que Angmo, o Grande, morreu na floresta. O Rei Vermelho lhes dera tudo. E ali estavam eles, rindo ao ver o Cicatriz Verde destruir os maiores símbolos do poder do monarca.

O imperador bufou. Eles não se lembravam de nada? Quando o rei tomou o poder, matou os antigos oligarcas e instalou novos no lugar. Por acaso esses novos ricos achavam que escapariam do mesmo destino caso um Rei *Verde* tomasse a Cidade da Coroa?

Ele passou ordens ao ministro das Ciências, que as transmitiu sem protesto para os couraçados. O Rei Vermelho viu pelo telescópio um couraçado manobrar lenta, porém inexoravelmente, pelo ar para colidir com o Cruzador da Alegria. O casco da aeronave explodiu, e centenas de pequenos corpos despencaram para os Espetos abaixo. O rei pôde ver as bocas abertas de horror dos que caíram. Imaginando os gritos, ele sorriu, sentindo um calor espalhar-se pelo corpo. Em seguida, ordenou ao pálido ministro das Ciências que encontrasse o manifesto do Cruzador da Alegria, na Sala dos Registros. Ele queria saber exatamente quantas pessoas acabara de matar. Calculara o total do pai fazia poucos anos e estava bastante curioso para ver se esse novo evento o colocara na liderança.

Porém, antes que o ministro chegasse à porta, um amplo lampejo azul emanou da espaçonave de pedra. Os couraçados imperiais tombaram e despencaram do céu, para explodir na planície abaixo. A espaçonave virou-se, então, para a cidade, com energia azul fulgurando em toda a sua superfície. Com um frio na barriga, o Rei Vermelho viu Hulk pelo telescópio, imponente no casco da nave, olhando feio e apontando a espada para ele.

Um forte lampejo azul inundou a sala, e o telescópio do imperador apagou. Ele girou, e a sala mergulhou na escuridão. Com o coração aos saltos, agachou e sacou a faca cerimonial que guardava no cinto.

– É só um truque dos sombras – disse o ministro das Ciências, apontando para a cidade. Todas as luzes artificiais foram apagadas. Somente as chamas puras das mais antigas lâmpadas a óleo reluziam no escuro. – Desligaram só as máquinas.

– *Só as máquinas?* – berrou o rei. – Nossas defesas *dependem* das máquinas! Os couraçados, os cabeças da morte! Minha *armadura*!

O ministro guiou o imperador escadaria abaixo, explicando com nervosismo que a sala de armas era forrada de pedra sombria, por isso tudo lá dentro deveria ter sobrevivido ao ataque.

– Contanto que você tenha trancado a porta – disse o rei.

O ministro soltou uma risadinha forçada, mas a expressão o entregava. Ele ficou de bico calado e focou-se nos pés, descendo às pressas a escada. O imperador olhou para ele com uma fúria gelada.

O fato é que a porta fora mesmo trancada, e a pedra sombria que forrava a sala de armas funcionara conforme a propaganda. O imperador suspirou de alívio ao ouvir a armadura zunindo à vida, envolvendo-se em torno do corpo dele.

– Viu, sua graça? – disse o ministro, radiante de alívio. – Não há por que ter medo.

O imperador dirigiu um olhar severo ao ministro.

– *Medo*? – disse. – Em algum momento você viu *medo*?

O ministro abriu e fechou a boca três vezes, enquanto o imperador empunhava sua espada brilhante. Segundos depois, o Rei Vermelho limpava o sangue que escorria da lâmina, soltando palavrões por ter sido tão apressado. Agora teria que arranjar outra pessoa para ir buscar os números do manifesto do Cruzador da Alegria.

• • • •

Quando a espaçonave de pedra aterrissou nos gramados chamuscados, nos arredores da Cidade da Coroa, milhares de cidadãos correram para ela, celebrando e cantando. Caiera saltou do casco, e os demais Gladiadores saíram pela escotilha principal, seguidos por nativos que chilreavam e riam, por orgulhosos insurgentes e, finalmente, por centenas de radiantes refugiados. O Cicatriz Verde, ainda no topo da nave, assistiu a toda a cena, olhando alerta para todo lado. Não demorou para que uma multidão de refugiados e cidadãos, nativos e imperiais, rebeldes e gladiadores começasse a olhar para ele. Alguém começou a entoar seu nome. Outros foram aderindo. Em pouco tempo, toda aquela galera estava gritando, sacudindo espadas e lanças no alto.

Caiera olhou para Hiroim.

– Para nos salvar e nos unir – murmurou.

Ele concordou. Depois pareceu injuriado, suprimindo um sorrisinho desobediente. Logo estampou no rosto uma expressão solene e assentiu, dessa vez mais decidido.

– Assim você vai dar pane no seu cérebro, Hiroim – disse Caiera. – Apenas escute o coração e *acredite*.

Miek estava furioso, vendo os refugiados escorrendo da espaçonave e começando a misturar-se com os civis da Cidade da Coroa. Eles riam e comemoravam. Alguns gritavam, surpresos, e abraçavam amigos e familiares que tinham perdido.

– Celebração demais – disse Miek, e os nativos mais próximos clicaram as mandíbulas, concordando. – Hora de lutando. Matando o resto deles na Cidade da Coroa, antes que eles nos matando.

— Os rosinhas não podem nos tocar — disse Hulk, saltando do casco da nave. Tinha nas mãos um dos mísseis que os couraçados dispararam contra eles, com o qual brincava casualmente. Tenso, Miek ficou só de olho. — Sem energia, sem naves, sem bombas. Temos outra coisa pra resolver agora. — Hulk sentiu um cheiro no ar e olhou para a parede de fogo que os separava das hordas de Espetos. — Você está sentindo, não é, Miek? Estão te chamando. Liberando cheiro.

— *Cheiro*? — disse Elloe. — Do que estão falando? Os Espetos não têm nem *cérebro*. São apenas animais sem mente, projetados para se alimentar.

— Essssspetos malditos... — Miek rosnou.

Sem-Nome, porém, sibilou, mostrando as presas, e aspirou ar para os órgãos sensoriais que tinha na boca.

— Talvezzzzz não — murmurou.

Miek inalou, sentiu o gosto do ar e fez careta. Hulk inclinou-se para a frente, tentando enxergar por entre as chamas, e saiu andando direto para a parede de fogo.

— Espere! — gritou Elloe.

Caiera virou pedra e fez o mesmo, com Korg logo atrás. Miek e Sem-Nome voaram por cima das chamas e sumiram.

— Hiroim, temos que impedi-los! — disse Elloe. — Tem milhares de Espetos do outro lado desse fogo. Eles não sabem no que estão se metendo!

— Ele pode ou não ser o Filho de Sakaar, Elloe — disse Hiroim. — Mas ainda é o Hulk. E até agora não conheci ninguém capaz de derrotar o Hulk.

••••

Hulk, Korg e Caiera emergiram das chamas, do outro lado da parede de fogo, e viram um mar de Espetos cobrindo o vale, se contorcendo e ondulando, com lanças gastas apontando para o alto, como as pontas das cristas das ondas.

— Estão nos esperando — disse Korg. — Cuidado, Pele-Verde.

Hulk ergueu a bomba bem para o alto, deliberadamente mostrando a todos.

— É uma bomba letal — grunhiu. — Sabem do que ela é capaz.

As ondas de Espetos ondularam e tremularam ao ver o artefato, recuando. Mas Hulk agachou lentamente e deitou a bomba no solo.

— Viemos aqui conversar — disse.

O mar de Espetos estremeceu, zuniu e foi gradualmente parando.

E então o oceano rugiu e se abriu. Um arco imenso formou-se na parede gelatinosa de Espetos diretamente acima dos Gladiadores. Um caminho jazia ali dentro, fracamente iluminado por chamas que reluziam por toda a massa translúcida de Espetos que formavam o teto. Hulk olhou rapidamente para Korg e Caiera, e desceu para a passagem. Os outros o seguiram, e a entrada selou-se atrás deles com um gorgolejo barulhento.

• • • •

Vendo os Gladiadores desaparecendo debaixo do mar de Espetos, Miek gritou lá do alto.

— Eles devorando eles! *Devorando* eles!

Ele mergulhou para a bomba que Hulk deixara no solo. No entanto, ela sumiu sob uma onda de Espetos antes que o inseto-rei a pudesse alcançar. Miek guinchou de fúria. Sem-Nome, por sua vez, voou baixo por sobre o mar e apontou para as sombras borradas que se moviam debaixo da superfície.

— Eles estão ali! — disse ela, zumbindo por cima das sombras que percorriam a planície.

Miek soltou uma exclamação. Os dois voadores olharam para a frente e viram um grande morro de Espetos abrir-se para revelar uma imensa espaçonave negra. A boca da passagem que percorria os Espetos abaixo se abriu com um pipoco, e Hulk, Korg e Caiera emergiram. Os Espetos em torno da porta da espaçonave recuaram, e Sem-Nome e Miek desceram para juntar-se aos demais.

— Estou entendendo a mensagem, Hulk — disse Sem-Nome, farejando até chegar à entrada. — Estão chamando você.

— Não pode confiando nesses Espetos idiotas, Duas-Mãos — estalou Miek, bufando, como se para livrar o nariz do cheiro. — O que esperando encontrando aqui?

Hulk adentrou a grande câmara abobadada e olhou para o alto.

– Espetos *grandes* – disse.

Quatro formas enormes de quatro membros, cuja pele assoviava e estalava, estendia e retraía apêndices afiados em padrões pulsantes.

– Esssspetos paissss... – sibilou Sem-Nome.

Ela pendeu a cabeça para trás e passou devagar o focinho pelo ar em pequenos círculos, saboreando as correntes cálidas de ar que giravam em torno do grupo.

– Devia ter ficando com aquela bomba, Duas-Mãos – murmurou Miek.

– Não vamos precisar – disse Hulk.

– Você sabendo o que Espetos fazendo. Temos que *impedindo*, *agora*.

Sem-Nome pôs um tentáculo gentilmente no ombro de Miek e passou o focinho numa das antenas dele.

– Sei que ainda está triste, Miek – ela murmurou. – Mas não negue que também entendeu a mensagem. Hora de escutar.

Miek estremeceu, mas aninhou-se junto dela, casco com casco, e inalou. Os Espetos pais acima tremeram, girando em círculos conforme os padrões de seus tentáculos ondulantes foram ficando mais complexos.

– Gladiadores... – Miek murmurou. – Miek ligando todos vocês, agora. Mostrando o que os Espetos grandes dizendo...

Os Gladiadores abriram suas mentes, como tinham feito na vila do chefe Charr, e as vozes graves e líquidas dos Espetos pais ecoaram em seus cérebros.

– Obrigado, insetinho. E obrigado, Cicatriz Verde. Você poderia... talvez *devesse*... ter ateado fogo em todos nós. Mas ouviu o nosso chamado. Então ouça a nossa história e tome sua decisão. Vocês nos conhecem como os Espetos, esporos mortais que consomem qualquer material orgânico que tocam. Mas essa não é nossa verdadeira essência. Em nossa forma natural, vivemos em espaço aberto, flutuando entre planetas, absorvendo energia cósmica de estrelas que estão morrendo. Passadas algumas gerações, nós migramos, nos mudamos para novas galáxias em nossas naves antigas. Pretendíamos passar por este mundo a caminho do seu sol. Mas alguma coisa deu errado. Nossas naves caíram na superfície do planeta. Perdidos em terra, famintos de energia cósmica, perdemos nossas mentes e nossas almas. Com fome... tanta fome... consumimos tudo que tocamos. Mas nada podia nos satisfazer. Matamos milhões. Finalmente, os robôs do imperador pai nos fizeram recuar, nos levaram para as naves que restaram e nos lançaram para os céus. Mas em vez de nos devolver às estrelas, nossas naves pousaram em sua lua destruída. Trancafiados dentro do casco, passamos três gerações devorando uns aos outros. Agora estamos livres, mas confinados ao solo mais uma vez, nessas naves que não funcionam. Por isso, nossos filhos novamente perambulam enlouquecidos por este mundo. Mas nosso lugar é nas estrelas. E vocês têm uma nave.

Os Gladiadores abriram os olhos e trocaram olhares.

– Nossos filhos têm fome. Muita fome. Podemos controlá-los por pouco tempo. Podemos *ajudar* vocês... se puderem nos ajudar.

15

O QUINTO PREFEITO ORGANIZOU OS REFUGIADOS em filas compridas ao longo do anel de fogo, vendo-os passar pedaços de madeira e combustível para alimentar as chamas. Seu coração batia acelerado no peito. Em toda a vida, nunca tinha visto tantos resistirem ao imperador. Ficou de olhos esbugalhados quando viu um punhado de oligarcas cruzando o gramado em seus trajes de seda, empurrando um carrinho lotado de lança-chamas. Finalmente estavam todos trabalhando juntos.

Ele sorriu para Elloe, limpando a terra do rosto suado. A jovem, porém, apenas fez uma careta e olhou para a parede de chamas. Apesar de tudo que fizeram para mantê-la em pé, o fogo diminuíra para metade da intensidade. Ela viu Hiroim, montando guarda em cima da espaçonave de pedra, e subiu para juntar-se a ele.

– Quando o fogo apagar, nós morreremos – disse, vendo o oceano ondulante de Espetos além da parede de fogo.

– Vamos esperar pelo Cicatriz Verde – disse Hiroim, de olho nas chamas.

Elloe apontou para o contorno obscuro da Cidade da Coroa.

– Dentro da cidade, poderíamos nos defender. E quanto ao imperador e o exército dele? Eles podem arranjar apoio armado a qualquer momento. Devemos atacar *agora*, antes que...

– Vamos esperar pelo Cicatriz Verde.

Elloe saltou da beirada da espaçonave, furiosa, e retornou para perto do fogo. O quinto prefeito a viu e puxou a gola por cima da boca para esconder o sorriso que subitamente não conseguia suprimir. Seu coração martelava. Ele estava prestes a correr o maior risco que já correra na vida.

– Elloe – disse ele, e apontou para os receosos homens de trajes de seda, junto do carrinho agora vazio. – Aqueles homens vieram falar com você.

O mais velho dos oligarcas hesitou um pouco, muito nervoso, e mostrou um pequeno medalhão de ouro com o selo do Senado. Elloe escancarou os olhos.

– Elloe Kaifi – disse o oligarca. – Filha de Ronan Kaifi. Viemos ter com você, representando o Senado Imperial. Nunca sequer sonhamos que um momento como este chegaria. Mas o tempo do Rei Vermelho acabou.

O velho senador apoiou-se tremendo em um dos joelhos, aos pés de Elloe.

– Chegou a hora de termos uma *rainha*.

• • • •

Hiroim levantou-se, obviamente preocupado, quando viu o mar de Espetos ondular e avançar.

– Rápido! – gritou ele para os trabalhadores lá de baixo. – Afastem-se da parede!

Ficaram todos só olhando para ele, confusos. Quando a primeira onda de carne de Espetos tocou o fogo, os homens saíram correndo aos berros. Um jorro farto de vapor e fumaça explodiu para o ar. As chamas flamularam, fazendo recuar os esporos incendiados, mas a segunda onda de Espetos avançou, e os esporos vazaram por cima da parede de fogo.

Hiroim saltou da espaçonave, gritando para Elloe e os guerreiros trazerem os lança-chamas. A resposta que lhe deram foi somente os gritos de pânico dos civis.

Foi então que uma imensa torre amarelada de chamas explodiu dos portões da Cidade da Coroa, e Hiroim soltou um palavrão que nenhum padre saka deveria saber.

• • • •

Elloe e o quinto prefeito guiaram os rebeldes pelos portões em chamas da Cidade da Coroa, derrubando os guardas, seguindo para a via principal. O coração de Elloe martelava de raiva e alegria. Ela se viu esfaqueando o Rei Vermelho bem na garganta e arrancando a coroa da cabeça dele. Viu-se na Grande Arena, ouvindo milhares entoando seu nome. Viu os senadores e os juízes e os guardas afugentando os maldosos e os corruptos. Viu as crianças radiantes ao vê-la passar. Viu seu rosto, o rosto de seu pai, o rosto de Lavin Skee gravados nas paredes de uma imponente torre de pedra, contemplando para sempre uma cidade transformada.

– Vamos direto, sem parar, irmãos! – gritou ela. – Para o palácio!

Porém, jorros de chamas claras rugiram lá do alto. Os soldados que flanqueavam Elloe gritaram, pegando fogo.

– Nós a trouxemos, sua graça! – berrou o oligarca mais velho, correndo ofegante atrás da guerreira. – Como você pediu!

– Obrigado, senador – disse o imperador, flutuando por cima das chamas em sua armadura dourada.

O senador fez uma reverência e o rei entregou a recompensa, incinerando o homem com um disparo da palma da mão.

– Tão bom fazer uma limpeza na casa de vez em quando, não acha? – disse ele.

Elloe viu-se cercada por corpos carbonizados, tremendo de fúria. Após tudo pelo que passara, como pudera ser tão inocente? Devia ter desconfiado. Começara esta jornada com o fedor da carne tostada do pai no nariz; fazia sentido que ela acabasse do mesmo jeito. Antes, quando estava na Boca, Elloe esperneou e choramingou. Dessa vez, segurou com firmeza a espada e encarou o Rei Vermelho bem nos olhos.

– Elloe Kaifi, aristocrata traidora do império, prefere ser incinerada ou decapitada?

Elloe ergueu a espada e berrou. O imperador abriu um sorriso maligno e sacou sua espada em chamas. Antes que pudesse brandi-la, no entanto, um borrão verde despencou do alto e caiu com tudo no chão, entre o rei e Elloe.

– Prefiro acabar com a sua raça! – rosnou o Cicatriz Verde.

Um assovio alto rasgou o ar. O Rei Vermelho olhou para o alto e viu os grandiosos Espetos pais no alto dos telhados, todos de olho nele. A luz das chamas refletia de um modo fantasmagórico naqueles corpos transparentes. Soldados imperiais mortos balançavam, presos naqueles tentáculos denteados.

– Sua cidade está lotada de Espetos, e eles agora estão lutando do nosso lado – disse Caiera, aproximando-se de Hulk junto com Korg. – Entregue-se, Rei Vermelho.

Um pelotão de guardas imperiais aterrorizados resolveu atacar e avançou entre o rei e Hulk.

– Protejam sua graça! – berrou o tenente.

O Rei Vermelho apenas resmungou e dissolveu todos com uma rajada de fogo.

– O Cicatriz Verde é meu! – berrou ele, erguendo os punhos e disparando mísseis pelos antebraços.

Hulk recuou quando os mísseis explodiram em seu rosto e peito. Metendo os punhos no solo, lançou para o ar pedaços imensos de detrito. Enquanto o imperador se esquivava das pedras, Hulk gritou para Miek por entre pó e neblina.

– Miek, ligue todos nós. Todos os Gladiadores. Com *ele*. – Hulk atravessou a poeira espiralante na direção do Rei Vermelho. – Assim, quando o espancarmos até a morte, ele saberá por quê.

Miek fez que sim, sibilando baixinho por entre mandíbulas expostas, e o cheiro de flores queimadas começou a emanar de seu corpo. Os Gladiadores respiraram fundo, deixando a consciência de Miek invadir-lhes a mente. Sem-Nome pôs-se a vibrar as asas e a voar em círculos, mergulhando daqui para lá em volta do Rei Vermelho, envolvendo-o com os químicos de Miek.

O Rei Vermelho fez cara de nojo, mas logo foi tomado pelos sons e imagens que começaram a inundar sua mente. Girando, ele disparou mísseis em todas as direções. Os Gladiadores apenas esquivaram-se e defletiram os projéteis. Furioso, Hulk contemplou as imagens que invadiam as mentes de todos eles.

O pai de Miek sangrando até a morte. O pai de Elloe morto pelas chamas. O irmão de Korg aos pedaços. Lavin Skee caído morto, na areia. E a criancinha inocente e sem nome que se aninhara debaixo do queixo de Caiera reduzida a cinzas mais uma vez nas ruínas de An-Sara.

Caiera, com lágrimas nos olhos, virou-se para Hulk quando ouviu um estalo no ar. Hulk cerrava os punhos com força, cada tendão tenso de raiva. Ele via tudo que o Rei Vermelho via, e a fúria se espalhava por ele como uma força física. Os ossos se mexeram quando os músculos se flexionaram e expandiram. Quanto mais bravo Hulk ficava, mais forte Hulk ficava. Aturdida, Caiera o viu crescer quase dez centímetros.

Mas o Rei Vermelho apenas soprou o odor das narinas e olhou com desprezo para os Gladiadores.

— O que querem de mim? Lágrimas? Por esses *escravos*? Por esses *monstros*? Todos os seus preciosos entes queridos. Sim, eu os matei. E é meu direito. Meu dever. E minha alegria.

Hulk ficou só olhando para o Rei Vermelho, sem dizer nada. Depois fechou um dos punhos, deu um passo à frente e socou o imperador, fazendo-o voar mais de meio quilômetro pela via principal até arrebentar as colunas do Memorial Angmo e a estátua do imperador pai, que desabou no chão e se estilhaçou. O Rei Vermelho começava a levantar-se, com dificuldade, quando Hulk veio lá do alto e o esmagou no chão – para então lhe meter uma porrada com as costas da mão, arremessando-o para o outro lado da praça.

Metade da armadura do imperador foi destruída e se desprendeu do corpo dele. O braço esquerdo ficou largado de lado. Porém, ele se amparou num estrado de pedra no cruzamento e provocou Hulk com um sorriso maldoso.

— Muito bem, Cicatriz Verde. Uma última chance. Ajoelhe-se à minha frente, arranque os cabelos da cabeça, lamba a lama sob meus pés e me implore oito vezes para conter minha ira real. Ou eu incendiarei cada alma que você algum dia tentou salvar.

— Vou te matar – disse Hulk, num tom grave e seco.

O Rei Vermelho olhou bem nos olhos do Cicatriz Verde e sentiu a verdade infiltrar-se em seus ossos, como se as próprias palavras já o tivessem matado.

Por dentro, no entanto, ele sorria. Agora finalmente chegara a sua vez. Mas ele não sentia medo nem arrependimento nem angústia nem qualquer das outras emoções que vira passar pelos rostos das pessoas que matara. Sequer surpreso estava. Lembrou-se da cara de choque do imperador pai quando a lança de caça atravessou-lhe o coração. Lembrou-se dos membros do conselho e de suas esposas gritando de horror, derrubando a mesa do banquete ao ver o rei se aproximar. Jogaram longe as facas e os pratos de ouro, e até mesmo os nacos de costela assada da rainha de nativos, mas ele apenas os separou e estudou o olhar de choro e súplica de cada um ao morrer.

Por que eles temem tanto a morte?, pensava o Rei Vermelho. É pela dor de morrer? O medo de serem punidos no além? Ou é o medo de não ex*istir, de passar para o vazio, de desaparecer para sempre, até para si mesmos?* O Rei Vermelho percorreu todos esses estranhos pensamentos, revirou-os na cabeça e os inspecionou de todo ângulo possível. E nenhum lhe concedeu resposta.

O Rei Vermelho não temia a morte.

Apenas odiava *perder*.

Então pousou a palma da mão nas digitais gravadas no painel de pedra no estrado do cruzamento. Ele aplicara essas marcas em cada intersecção da cidade no ano em que tomara o trono. O povo os enxergava como símbolos do poder onipresente do imperador. No entanto, o Rei Vermelho nunca fora muito fã de meras metáforas.

As engrenagens debaixo do painel escanearam a biometria do Rei Vermelho e enviaram um sinal por um fio de pedra sombria para uma série de bombas estocadas muito abaixo da Cidade da Coroa. O imperador pai criara o sistema anos antes do nascimento do filho. A ideia fora a culminação das lições simples ensinadas pelo Livro de Guerra por gerações: se seu inimigo o convida para entrar, tome cuidado. Mas quem poderia imaginar que uma cidade inteira poderia ser uma armadilha?

. . . .

Caiera, a Fortaleza, soltou uma exclamação e ficou de joelhos. Apertando bem as mãos nas pedras do chão, estendeu o Poder Antigo como se pudesse ultrapassar o sinal pelo fio de pedra sombria. Porém, a faísca alcançou as bombas que explodiram. A falha tectônica abriu-se numa ampla fenda, e Caiera urrou de dor, como se sua própria caixa torácica tivesse sido aberta.

A cidade chacoalhou-se, e uma rachadura comprida rasgou a rua entre o Rei Vermelho e o Cicatriz Verde. Um vento quente ergueu-se do abismo, seguido por um jorro de lava que ateou fogo em todos os telhados mais próximos. Civis aterrorizados, escondidos nos edifícios, guincharam de susto. Hulk bateu as mãos abertas e criou uma onda de choque

que estilhaçou janelas e apagou as chamas. O povo comemorou, choramingou e agradeceu ao Profeta e ao Cicatriz Verde pela proteção.

Caiera e Korg ajoelharam perto da abertura, evidentemente desesperados.

– Adeus, Holku – disse ela.

– Do que está falando?

– Eu sou uma Fortaleza. Este planeta conversa comigo. E não suporta mais. O Rei Vermelho rachou as placas dele.

– Sim – disse Korg. – Pedra fala com pedra. Este é o nosso fim.

O quinto prefeito, cambaleando por entre destroços, olhou para os dois em pleno choque.

– Mas o Cicatriz Verde... o Cicatriz Verde vai nos salvar!

– Quieto, pele-mole – disse Korg. – A crosta do planeta está se mexendo. Com toda a força que tem, o Cicatriz Verde pode esmagar este planeta e reduzi-lo a pedaços. Mas o que pode fazer para *curá-lo*?

· · · ·

O calor do magma subia para o ar em ondas, chamuscando o rosto de Hulk. Ele sentiu o solo se mexendo debaixo dos pés, ouviu as fundações dos edifícios circundantes ranger e rachar. As pessoas que se escondiam neles berravam. Uma idosa chorava aos soluços. Ou seria uma criança?

Hulk contou trinta e sete pessoas e dois cães. E viu-se dando meia-volta, saltando pelo ar, voando por cima da cidade, a toda a velocidade por sobre as planícies, em direção às Estepes. Estava forte agora, mais forte do que nunca. Bastariam dois saltos. Dez segundos, e ele sumiria dali.

Hulk só quer ficar em paz.

Mas viu também Caiera. Sentiu o Poder Antigo nas pedras sob os pés. Sentiu a mão dela em seu coração, sentindo-o bater – firme, constante e sincero. E sorriu para ela, virou-se e pulou para a abertura cada vez mais ampla, desaparecendo na lava abaixo.

Ele se intitula Quebra-Mundos
Porque sabe que, um dia, sua raiva limpará este mundo com chamas.
Mas hoje é o planeta que o queima.

Cauteriza-o até os ossos.
Mas ele não desistirá.
Hoje, o Quebra-Mundos...
... conserta o seu mundo.

Hulk foi mergulhando para baixo, sentindo a lava destruir cada centímetro de sua pele, até lhe inundar a boca quando ele gritou. O magma passou rasgando por garganta e pulmões, queimou os olhos, comeu sua carne e cozinhou-lhe a medula dos ossos. Hulk viu-se morrendo em fogo líquido num mundo brutal que se rasgava ao meio e matava todos que ele lutara com tamanha força para proteger por tanto tempo.

Mas isso só o deixou bravo.

Seu corpo enraivecido se recompunha e queimava e se recompunha e queimava de novo.

E isso só o deixou mais bravo.

A carne costurou-se de volta, os ossos ficaram mais fortes com aquela fúria toda, e Hulk foi mergulhando cada vez mais fundo, até que alcançou a gigantesca falha debaixo da Cidade da Coroa. Com os dedos, ele tateou a rachadura na pedra. Os ossos doeram com as reverberações incalculáveis da placa que se abria, e nesse momento ele soube ser impossível cumprir a tarefa a que se propusera. Certa vez, ele erguera uma montanha nas costas. Porém, juntar aquelas placas demandaria uma força mil, talvez milhões de vezes maior. Não dava para fazer. Todos morreriam, e Hulk queimaria até sumir, e o Rei Vermelho daria gritos de alegria.

E isso o deixou mais bravo ainda.

....

Caiera ajoelhou-se no chão e pressionou as palmas das mãos na pedra. As construções ao redor sacudiam e rachavam sobre um terreno que gritava e chacoalhava e se mexia...

... mas que logo se aquietou.

Ela olhou para Korg, o rosto lívido.

– Ele... ele conseguiu...

– Claro que conseguiu – disse Korg, sorrindo. – Ele é o Hulk.

– Mas você disse que ele não conseguiria...

Korg deu de ombros e foi se aproximando da falha, vendo a silhueta imensa de Hulk vindo para eles, emergindo do magma.

– Só estava tentando deixá-lo bravo. Ele parece funcionar melhor desse jeito. Certo, Pele-Verde?

Hulk rugiu de fúria e dor ao emergir. A lava não pôde matá-lo – estava forte demais para que isso acontecesse. Porém, ela destruíra seus olhos e lhe arrancara a pele mil vezes seguidas. Ninguém no planeta jamais sentira tanta dor, e, quando ele mirou com seus olhos em pleno processo de regeneração para o Rei Vermelho, que pairava no céu acima, a raiva transbordou num urro que chegou a limpar a poeira de cada fresta no casco duro e rochoso de Korg.

– Bom, vamos lá – disse Korg.

O homem de pedra pegou Hulk pela mão e, num movimento amplo, arremessou o Cicatriz Verde para o céu, na direção do Rei Vermelho.

....

Vinte mil cidadãos, refugiados, soldados e insurgentes olharam para o céu, prendendo a respiração. Hulk voou pelo ar, trazendo para trás o punho imenso. O Rei Vermelho ergueu o braço blindado que ainda lhe restava e disparou mil pulsos de energia em três segundos. Hulk apenas sorriu quando os pulsos explodiram contra ele. E socou.

O soco foi um verdadeiro trovão. Janelas foram estilhaçadas por toda a cidade. O Rei Vermelho sobrevoou as muralhas da cidade, passou pelos restos ainda em brasa de sua parede de fogo e mergulhou bem na crista de uma grande onda de esporos que se ergueu do mar de carne de Espetos. Aos gritos, ele sentiu os Espetos invadindo sua pele. A dor lancinante atingiu o cérebro, e ele pensou em julgamento e no espaço vazio da morte, mas não teve medo.

Ocorreu-lhe, então, que ele não chegara a obter o manifesto do Cruzador da Alegria. Seu estômago deu um nó com uma raiva insolúvel, o riso do pai ecoou em seu cérebro prestes a explodir, e o rei se foi.

16

NÃO HAVIA MAIS CRUZADOR DA ALEGRIA algum no ar para transmitir a morte do Rei Vermelho para o mundo. Contudo, cidadãos ofegantes corriam a todo vapor pela cidade com a novidade, e em questão de minutos percussionistas tinham subido nas torres mais altas para executar a canção de morte imperial. No quadrante noroeste, os oligarcas aninhados em suas grandes propriedades, protegidos por guardas particulares, ouviram a canção e mediram a própria coragem. Dentro de uma hora, cerca de metade das famílias mais antigas já havia selado seus dramutes e fugido para seus castelos de veraneio, perto da fronteira com Fillia. O restante fechou portas e janelas e ficou torcendo pelo melhor. Imperadores vieram e foram, e eles sobreviveram. Assim que descobrissem o que realmente queria o Cicatriz Verde, poderiam negociar e ajustar, e a vida seguiria em frente.

Mas no centro da cidade, Hulk arrancava fora as portas das prisões, Korg abria as despensas de comida reais, e Elloe e Miek supervisionavam o despir dos soldados imperiais capturados e o queimar ritualístico das bandeiras e plumas. Caiera e Hiroim afugentaram saqueadores e revoltosos e posicionaram rebeldes de confiança para vigiar o palácio, os fóruns e as bibliotecas. Em meio a tais trabalhos, milhares de pessoas tomavam as ruas para celebrar, festejar e comemorar.

Hulk, porém, desapareceu.

Caiera e Korg foram encontrá-lo no palácio horas mais tarde, no meio da noite, sentado todo curvado numa imensa cadeira de pedra no salão de ciências, quase em escuro total, com uma cortina em volta do corpo como se fosse um manto. Ele observava, sem muita emoção, uma nave alienígena maltratada, apoiada em blocos, do outro lado da sala, cercada por maquinário de análise. Luzinhas piscavam nos painéis de controle e monitores expostos da nave, fornecendo a única iluminação do local.

Caiera e Korg pararam na entrada da câmara, tomados por um estranho pressentimento. Tinham passado por tanta coisa ao lado do Cicatriz Verde. Ele estava sentado ali, do outro lado da sala. Entretanto, por algum motivo, era como se estivesse milhares de passos de pedra distante.

– Como está, Pele-Verde? – Korg perguntou.

O som da festa flutuou pela janela, tendo subido da multidão abarrotada na Grande Arena, lá embaixo. Porém, Hulk parecia ter perdido a força necessária para virar o rosto e ver por si mesmo o que se passava.

– Que barulho todo é esse? – murmurou.

– Estão celebrando... – disse Korg, e pigarreou. – A sua coroação.

Hulk apenas virou os olhos para olhar feio para o homem de pedra.

– Ideia sua?

Korg sorriu. Hulk continuou sério.

– Você me conhece, Korg. Por que estão fazendo isto?

– *Porque* conheço você. Podia ter nos deixado tantas vezes. Mas sempre voltou. É por isso que as pessoas ficam, por isso que celebram juntas... Tanto clãs como um só, em paz. Não sei nada sobre o Filho de Sakaar ou o Quebra-Mundos. Rezo para o meu Senhor, tento fazer a coisa certa para todos e deixo estar. Mas, com ou sem profecia, eles sabem que você não os abandonará, Pele-Verde. E você sabe disso também. Desça lá e mostre a cara.

Hulk retraiu-se, acocorou-se ainda mais no trono e comprimiu o manto em torno do corpo. Um fraco brilho verde iluminou-o por detrás, de perfil. Caiera, surpresa, avançou pela entrada, ganhando a sala para ver os Espetos pais aninhados nas sombras, do outro lado do trono de Hulk. Eles se contorciam e giravam, seus corpos pulsando conforme seus apêndices pontiagudos sondavam a fundo o braço esquerdo de Hulk, agora mole e largado, brilhando esverdeados ao devorar a energia dele. Caiera reparou no olhar apático de Hulk – e seu coração deu um pulo quando ela constatou que aquele planeta talvez ainda tivesse a força necessária para matar o mais forte que existe.

– Holku... não...

Espetos verdes brilhantes desprenderam-se dos corpos reluzentes de seus pais e flutuaram janela afora, a caminho da horda de Espetos que ainda jazia no vale.

Korg suspirou devagar.

– É por isso que os Espetos estão tão quietos. O que os pais tiram do Cicatriz Verde, eles dão aos filhos. Então agora todos podem viver em paz. – Korg olhou inconformado para o Cicatriz Verde. – Exceto Hulk, é claro.

– Mas ele não pode... não tem que suportar todo o fardo deste planeta – disse Caiera.

Hulk bufou.

– Quem falou?

Sentindo o movimento sutil de Hulk, os Espetos pais apertaram seu braço com mais força e fincaram mais a fundo os tentáculos nos músculos. Com a mão direita, Hulk agarrou-se ao braço do trono, trincando a pedra. Quando ele grunhiu, um grunhido estranho e agudo, Caiera viu-se dando um passo à frente e tocando-o na mão. Ele se aproximou dela, o rosto tomado de dor, e Caiera juntou sua testa com a dele. Um dos tentáculos enrolou-se no pescoço dele e foi avançando com cautela para a guerreira, então Hulk afastou-se, juntou o manto em volta dos ombros e continuou suportando sozinho o fardo.

Korg ficou olhando para Hulk, da entrada da sala. Caiera saiu de cabeça baixa, o coração batendo insanamente.

– Que o Senhor cure todas as suas rachaduras... rei Hulk.

••••

Ao longo da noite, Hulk ficou largado no trono, observando a nave que o trouxera para aquele planeta. No entanto, quanto mais os Espetos se alimentavam dele, mais borrada ficava a visão, até que finalmente seus olhos rolaram para dentro e suas pálpebras se fecharam. Os Espetos pulsavam e brilhavam e inchavam. Hulk foi encolhendo. A pele verde passou para um cinza apagado e, finalmente, um bronzeado de doente.

Bruce Banner gritou de dor e puxou o braço para longe das monstruosidades gelatinosas e espinhentas amontoadas ali do lado. Os Espetos pais rolaram um pouco para trás e se abaixaram, gordos e reluzentes, para processar a energia que tinham acabado de sifonar.

Banner cambaleou do imenso trono de pedra, esfregando o braço, e parou aturdido perante a nave. Seus olhos pousaram nas mesmas luzinhas que piscavam, as que Hulk tinha observado por horas. Onde este vira apenas lampejos aleatórios, no mesmo instante Banner viu padrões.

Uma mensagem.

Banner pulou para o teclado debaixo do monitor principal da nave e começou a digitar. Segundos depois, a tela piscou e acendeu, e o rosto de Amadeus Cho apareceu, olhando para Banner com choque e elação.

– BAAAANNEEEEER! – Amadeus berrou. – Por que você demorou tanto?

– Quieto! – Banner ralhou, e correu feito louco mexer no botão de volume do monitor.

– Tá bom. Desculpa. Você parece um doido. Cadê sua camisa? Isso é uma cortina? Você está em perigo?

– Não sei. Eu...

– Olha, descobri um jeito de te trazer para casa. Sabe aquele Grande Portal que te sugou pra dentro?

– Como sabe disso?

– Eu sou *incrível*, só isso. Mas agora escuta só. Descobri um jeito de reverter a polaridade do portal. Então, em vez de sugar coisas da nossa galáxia e levar pra Sakaar, vai sugar coisas de Sakaar e trazer pra cá. Mas só vai ter uma chance. O portal todo vai desabar em coisa de dois minutos depois que eu fizer a reversão. Então temos que combinar um horário. Eu aciono o portal, você coloca o seu traseiro no ar, e te trazemos pra casa.

Banner ficou olhando chocado para Amadeus. Chegou a abrir e fechar a boca umas duas vezes, sem nada dizer.

– Algum problema?

– Eu... não sei.

Amadeus ficou só olhando. Depois, fez uma cara mais atrevida.

– Velho, posso falar com o Hulk?

Banner não teve reação. Amadeus fechou a cara mais ainda.

– Escuta. Reed Richards, Tony Stark e todos aqueles heróis convencidos te enganaram a entrar numa nave e te mandaram pro espaço. Depois, ficaram tão ocupados que nem se deram o trabalho de checar se você tinha chegado ao destino que planejaram pra você. O que *não* aconteceu. Não sei tudo que aconteceu desde então. Mas, pelo que pude monitorar, creio que uns alienígenas te transformaram em escravo e gladiador e mataram Deus sabe quantos dos seus amigos. Eu não sei de você. Mas, se fosse eu, iria querer dar o fora daí e emendar um papo sério com um pessoal daqui.

Agora era Hulk quem olhava para Amadeus, no monitor.

– Fazê-los pagar pra sempre – murmurou.

– Sim, pode ser dito desse jeito também. Então tá. Daqui uma semana – disse Amadeus. – Apareça no céu, e eu te trarei pra casa.

• • • •

Por toda a noite, Caiera ficou sentada num anteparo de pedras, a um passo de pedra do palácio, vendo esporos brilhantes flutuando pela janela de Hulk, voando por cima dela e se dissolvendo na massa gelatinosa da horda de Espetos lá atrás. Periodicamente, ela usava o Poder Antigo para percorrer a terra e o palácio, alcançando assim a câmara na qual estava Hulk. Escutava o coração dele a bater, que pela primeira vez dava pulos e se agitava, e chegou a ficar tão fraco por alguns momentos que ela levantou num salto, em pânico, achando que os Espetos tinham matado Hulk finalmente. Mas logo o coração dele se reanimou e recobrou o ritmo de sempre, e Caiera retornou para as pedras e a espera.

Pela manhã, já tinham se dissolvido na horda de Espetos esporos suficientes para conferir à massa toda um brilho verde delicado. A ondulação diminuiu, e uma ampla quietude recobriu o vale. Os Espetos tinham adormecido.

Caiera ergueu a cabeça e seguiu para o palácio. O Rei Verde estava sentado no trono, acocorado sob o manto, com os anciões ainda roubando de seu braço.

– Holku, já chega – disse ela.

– Eu sou Hulk. Aguento qualquer coisa...

Mas os Espetos pais se contraíram, e Hulk gemeu. A pulsação dele ficou bem fraca, e a mão exposta ficou pálida e acinzentada. Caiera aproximou-se, alarmada, mas Hulk puxou a mão para debaixo do manto.

– Holku...

– Está tudo bem, Caiera – disse ele, a voz mais fina e fraca. – Contanto que se alimentem dele, ninguém mais morrerá.

– *Dele*?

– De *mim*... de mim.

Os Espetos pais soltaram um suspiro longo e sibilante e se afastaram de Hulk. Uns estalos úmidos ressoaram pelo ar quando os tentáculos se desprenderam da pele dele. Hulk puxou o ar, e este subitamente pareceu eletrificado. Ele se levantou, deixando o manto escorregar dos ombros verdes largos, e Caiera sentiu o pulsar do coração dele reverberar pelo piso – firme, forte e sincero mais uma vez.

Ele viu os pais libertarem esporos verdes, que saíram flutuando para o vale, e voltou-se para Caiera com um sorriso curto e torto.

– Vai um desjejum aí?

• • • •

O Rei Verde saiu descalço de seu palácio, envolto num manto rasgado, como o de um servo comum, e seguiu para o mercado, com Caiera ao lado. Imperiais e nativos pararam o que estavam fazendo e olharam radiantes para ele. Criancinhas gritavam e rugiam, fazendo a melhor imitação de Hulk que eram capazes, correndo atrás dele. O rei caminhava entre eles, como nenhum rei jamais fizera, e quando o estômago dele roncou, a multidão caiu no riso.

– Sua alteza – disse uma vendedora. – Come com a gente?

Hulk pegou o prato que lhe ofereceram. Caiera curvou a cabeça quando a mulher curvou a dela.

– Por esta comida. Por esta paz. Por estes amigos. Nós agradecemos, ó Profeta.

A mulher ficou radiante ao ver Hulk levando o pão à boca – mas antes que o alimento tocasse os lábios dele, uma pluma de fogo ergueu-se no horizonte, e o crepitar de disparos rasgou o ar.

17

ENQUANTO O REI VERDE SOFRIA em seu palácio com os Espetos, Elloe, Miek e Sem-Nome fizeram uma varredura na cidade e anotaram quais ruas e propriedades no quadrante noroeste ainda estavam sob controle de soldados imperiais ou guardas particulares. Foi preciso mandar o quinto prefeito, em suas vestes de servo de oligarca, para abrir caminho por alguns portões. Não demorou muito para descobrirem quem planejava a primeira revolta.

Quando amanheceu, Elloe liderou o ataque contra a casa do senador imperial Safan Kirgo. Primeiro ela gritou um pedido quase protocolar de redenção. Visto que os guardas que se escondiam por detrás das barricadas responderam com uma granada, ela apenas riu, brandiu o lança-chamas feito um taco e mandou a bomba de volta para eles. Após incinerar outros quatro guardas com a arma, ela guiou os soldados para dentro da mansão do senador.

O senador Kirgo foi encontrado numa sala de vestir, tentando ajustar-se dentro da armadura que usara vinte anos antes, na primeira Guerra dos Espetos. Quando viu Elloe, começou a balbuciar, protestando por sua inocência e lembrando-a, às lágrimas, que enviara flores quando ela vencera o campeonato de saltos no último ano escolar. Logo o quinto prefeito chegou com cartas obtidas no escritório do senador, confirmando os planos de insurreição. O senador disparou na direção da janela, e Elloe fez todo um espetáculo para sacar a espada. Atrapalhou-se tanto com o punho que foi o bastante para o homem escapar.

Kirgo não era bobo – enquanto atravessava a cidade, fez um retorno, uma curva e deu uma volta, e trocou o manto de cima três vezes. Porém, Miek e Sem-Nome o rastrearam em pleno ar, descobrindo-o no Senado fechado, onde ele fora encontrar-se com sete outros oligarcas traidores e cento e treze guardas armados.

Estavam se preparando para a guerra. Então Miek a trouxe até eles.

· · · ·

Quando Elloe chegou, Miek fazia uma verdadeira limpeza, arrancando as portas de todas as salas do Senado e matando todo mundo que erguesse uma arma. O casco estava coberto do sangue negro dos oligarcas e dos soldados imperiais, e o odor fraco e amargo, repleto de raiva. Elloe chafurdou-se no fedor, sorrindo feroz ao sacar a espada e abrir uma porta no chute. Uma mulher de meia-idade em robes de seda berrou e ergueu uma faca. Elloe a derrubou no chão, mas a mulher a olhou com uma expressão de espanto, captando um cheiro antigo que envolvia Elloe, por mais impossível que fosse. O cheiro do fim do verão, de ovos assados e erva-salgada.

– Elloe?

– Mãe?

Kala Kaifi – esposa de Ronan Kaifi, mãe de Elloe Kaifi e diretora do *campus* Chaleen da Escola Imperial de Artes e Ciências – levantou-se do chão e ajeitou o manto com o máximo da dignidade de sempre que pôde conjurar.

– O-o que está fazendo aqui? – Elloe perguntou. – Achei que estava na escola!

– Eu me mudei para cá depois que os Espetos voltaram. Achei mais seguro. Pelo Profeta, querida. O que você fez consigo mesma?

A mãe de Elloe levou as mãos às franjas da filha com o cenho franzido em claro desapontamento. Elloe testemunhara esse gesto desde pequena. De repente, ela tinha nove estações mais uma vez, sentindo-se incomodada e ansiosa, ávida por aprovação.

– Matem todos! – rugiu Miek, saltando à frente com a lança.

Elloe girou e bloqueou o ataque com a espada. Miek chilreou, aturdido, e Elloe atacou de novo, derrubando a lança das mãos dele.

– Ela é minha *mãe*, Miek!

Miek olhou para ela, estupefato.

– Sua mãe? Ajudando o povo do imperador? Mas eles mataram o seu pai... ele morreu na Boca!

Elloe ficou olhando para Miek, sem saber o que dizer. Apesar de tudo pelo que tinha passado, o nativo tinha um coração inocente. Amara o pai, amara a rainha, amara a colmeia – essas coisas nunca mudariam, para ele. Quanto tempo seria preciso para explicar-lhe o conceito de divórcio? A divisão de uma família, o fracasso do amor? Ela se lembrou da mãe gritando com o pai, quebrando as panelas do casamento e saindo violentamente noite afora. Lembrou-se do pai abraçando-a forte, dizendo que tudo ficaria bem. Lembrou-se do primeiro feriado que passou sem ovos de nativo, porque o pai não sabia que esperava que ele fizesse. E ficou vermelha de horror e culpa quando a lembrança do sabor adocicado do ovo e a imagem dos olhos sem vida da rainha dos nativos cruzaram sua mente ao mesmo tempo.

Miek inclinou o rosto, olhando-a sem entender nada.

Elloe evitou o olhar do amigo e voltou-se para a mãe.

– Por que está aqui? Com esses *traidores*? – perguntou.

– Eles não eram traidores até ontem – respondeu a mãe, aprumando os ombros, imponente e imperiosa; a diretora de sempre.

– Como assim? Você devia saber que eu estava aqui! Podia ter vindo me ver! Por que...

– O imperador era um maluco, é claro. Ele tinha de ser deposto, em algum momento. Mas não do jeito que você e seus amigos fizeram, Elloe. Nós ainda somos imperiais nobres. Este mundo pertence a nós. Não aos *insetos*.

– Este *inseto* conhecendo o seu cheiro – disse Miek, num tom grave e sombrio.

Ele inalou profundamente, clicando e grunhindo. Elloe girou para ele, espada em punho, mas Miek a defletiu e avançou para Kala Kaifi.

– Quantos de nós vocês *escravizando*? – rugiu ele. – Quantos de nós vocês *matando*?

Ele fincou as garras bem fundo nos braços de Kala, arrancando sangue negro. Kala urrou de dor.

– Agora nós matando vocês! – Miek berrou.

Elloe rosnou, brandindo a espada, e quebrou a lâmina no casco rugoso de Miek. Este girou, largou Kala e foi para cima de Elloe, que ergueu o lança-chamas e apontou para ele, enquanto Kala corria esconder-se atrás dela.

– Não me force a fazer isto, Miek – disse.

Miek encarou Elloe. E farejou. E seus olhos se escancararam ao mesmo tempo em que o rosto fechou.

– Espere. Miek sentindo... Miek sentindo *você*.

Elloe sentiu o ar estancar na garganta e os olhos se encherem de lágrimas.

– Você mentindo! Mentindo esse tempo todo! – ele urrou.

– Não – disse Elloe. – Não...

– Captando, agora. *Você*. Comendo nossos ovos. Nossa *esperança*. Nossa *morte*.

Elloe ficou esperando.

– Quantos bebês você comendo! – Miek berrou. – Quantas rainhas você matando!

E avançou. Elloe ergueu o lança-chamas.

Porém, o teto explodiu e Hulk despencou no piso, bem no meio dos dois. Ele deu um tapa na arma de Elloe, que voou das mãos dela e explodiu em chamas na parede oposta. Depois se virou para conter outro ataque de Miek, segurando-o com uma das mãos.

– Chega – disse Caiera, pousando atrás de Hulk. – A guerra acabou. Agora estamos construindo uma nação.

– É – zombou Miek, afastando a mão de Hulk. – Uma nação para os rosinhas fracotes. Os imperiais nos *matando*!

Ele agarrou Kala, mas Elloe gingou a espada e bloqueou as garras dele.

– Pare! – ela gritou.

– Vocês todos morrendo hoje! – Miek berrou. – Todos vocês, rosinhas fracotes! Nos matando pra sempre! Agora é a sua vez!

– Você quer matar todos nós? – Elloe gritou. – A sangue frio? Acha que isso conserta alguma coisa?

– Você feliz fazendo isso antes. Lembra-se de Primus Vand? Você cortou a garganta dele enquanto ele implorando por clemência. Como você disse, Duas-Mãos. Fazendo-os pagar pra sempre.

Elloe ouviu o respirar sôfrego de pânico da mãe atrás de si. Ela limpou as lágrimas do rosto. Uma centena de emoções borbulhava dentro dela, gritando para ser liberta. De cara fechada, Elloe encarou Miek e escolheu a raiva.

– Toque a minha mãe e farei *você* pagar para sempre – disse.

Hulk encarou um por um, sentindo o cheiro do ódio fervilhando no ar.

– Certo – disse. – Vamos fazer do seu jeito.

....

Quando o Cicatriz Verde roubou a espaçonave de pedra, a primeira anciã das sombras quase perdeu seu posto no conselho. Contudo, ela conseguira argumentar que, sem a espaçonave, o Cicatriz Verde teria tido uma chance muito pequena e preciosa de derrotar o Rei Vermelho e, doravante, liberar o povo das sombras de um odioso tratado que lhes trouxera mais vergonha do que um povo livre podia suportar. Mas agora o Cicatriz Verde era o novo rei, e as chances de a primeira anciã permanecer no posto dependiam basicamente de que tipo de rei ele viria a ser.

Então, no segundo dia do reinado do Rei Verde, os primeiros três anciões das sombras entraram na Cidade da Coroa pelos portões do sul, que ainda balançavam nas dobradiças, amassados e quebrados. Cidadãos e visitantes entravam e saíam aos montes, sem guardas para checar pessoas nem documentos. Acostumados com o deserto aberto ou com as amplas e frescas torres do conselho das sombras, os anciões reclamavam toda vez que um pedestre colidia com eles. A primeira anciã podia percorrer as areias mais quentes do deserto por dez horas seguidas sem nem transpirar. Porém, a sujeira e a agitação da Cidade da Coroa a deixaram exausta em dez minutos.

Após questionar sete civis, tendo cada um destes dado uma resposta detalhada e totalmente desinformada baseada nos mais recentes rumores que circulavam pelas ruas, eles descobriram que o Cicatriz Verde assentara a corte na Grande Arena. Por isso eles seguiram pelas ruas serpeantes e apinhadas, perdendo-se no caminho três vezes até encontrar a entrada principal.

– Somos os anciões das sombras – a primeira anciã informou a um jovem guarda. – Viemos nos reunir com o Cicatriz Verde.

– Agora, ele é o *Rei* Verde – disse o guarda. – E vocês vão ter que esperar. Estamos um pouco ocupados no momento.

Os anciões subiram a escadaria indicada pelo guarda. A primeira anciã não pôde esconder a surpresa quando, ao ganhar o deque superior, olhou para a arena lá embaixo. Miek estava num lado da areia, flanqueado por seus irmãos. Elloe estava no outro, amparada por uma dúzia de guerreiros de pele vermelha. Hiroim e Korg estavam no centro, sérios e pesarosos. Centenas de expectadores ocupavam as arquibancadas e assistiam a tudo com muita atenção.

– Vocês escolheram seus oponentes. Agora lutarão até a morte, de acordo com o costume do Império Sakaar – disse Hiroim.

– Elloe, Miek – disse o homem de pedra. – Esta é sua última chance. Larguem as armas e vão embora.

Nem Miek nem Elloe olharam para ele nem disseram nada. Apenas se encaravam, cada um de seu lado da arena.

– Que seja – disse Korg.

– Este é o novo mundo de Holku? – murmurou o terceiro ancião.

– Você tinha razão sobre ele, primeira anciã – disse o segundo. – Tão cheio de ódio.

A primeira anciã ficou apenas olhando para Hiroim, que baixara a cabeça para rezar, e murmurou as palavras junto com ele.

– Que o Profeta os perdoe e abrace.

Os percussionistas começaram a bater seus ritmos. Os expectadores nas arquibancadas prenderam a respiração. Elloe e Miek circularam um ao outro na areia, estudando o oponente com frieza, em busca de fraqueza, procurando o ângulo certo. Foi então que o pé de Miek ficou preso numa pedra, e Elloe avançou. Miek girou, quase não conseguindo defletir o golpe dela, e a multidão desatou a rugir.

Os anciões das sombras ouviram um grunhido atrás de si. E viraram-se, aturdidos, a tempo de ver um borrão esverdeado passar por eles. O Cicatriz Verde disparou do camarote do imperador para pousar nas areias da arena. A multidão rugiu quando ele brandiu uma clava imensa, derrubando Elloe do ar. Depois girou com o punho esquerdo e arremessou Miek, que esparramou perto dela, na areia. Enquanto os oponentes se esforçavam para ficar de pé, Hulk avançou para eles, brandindo a clava.

– LUTEM CONTRA MIM! – ele rugiu.

Miek e Elloe ficaram agachados, olhando em choque para ele.

– OU MORRAM!

– Não, Duas-Mãos! – Miek gritou, erguendo a lança.

Hulk, contudo, já estava em cima deles. Ele correu direto para a lança de Miek e espirrou sangue verde na areia. Os irmãos de Miek e os guerreiros de Elloe atacaram, erguendo espadas e lanças. Hulk virou-se para encará-los, de braços bem abertos, e sorriu ao ser alvejado por todos. Num giro, libertando-se, com vinte lanças e lâminas fincadas no corpo, ele rugiu para os céus, espalhando mais bolotas de sangue verde.

Os lutadores recuaram, aturdidos.

Hulk os encarou com frieza, parado em cima de uma poça de sangue.

– Esta luta acabou – disse, e caiu de joelhos. Vinhas de eleha'al brotaram do sangue e começaram a enrolar-se nos dedos e nos braços dele.

– Nós somos todos Gladiadores, agora, unidos pela guerra. Abracem seus irmãos.

E lançou para todos um olhar feroz.

– Ou eu juro que matarei um por um.

E olhou para o povo nas arquibancadas.

– UM POR UM!

....

Miek e Elloe ficaram olhando para Hulk sem dizer nada, chocados. E então viraram um para o outro. Miek inalou. E exalou o ar.

– Você... você nunca mais cheirando igual – disse ele baixinho.

– Eu sei. – Elloe baixou os olhos e soltou um suspiro trêmulo. – E sinto muito.

E era verdade. Ela jamais poderia consertar nada. Mas poderia lutar para não errar nunca mais. Os dois para sempre se enxergariam com sombras de tristeza e raiva. Porém, mesmo assim, eram Gladiadores, unidos pela guerra. E também unidos, todos eles, na tentativa de compartilhar aquele mundo sem se matarem tanto.

Por isso, se abraçaram. Os imperiais e nativos no campo de batalha ficaram só olhando, meio confusos, e foram aos poucos se aproximando, tocando punhos e dando tapinhas desconcertados nas costas uns dos outros.

A primeira anciã, vendo a cena toda, abriu um sorriso discreto nos lábios.

– Novo mundo, de fato.

••••

Três horas mais tarde, os ferimentos de Hulk tinham sarado o bastante para que ele pudesse encontrar-se com os anciões das sombras no salão de banquetes do palácio imperial. Os anciões cumprimentaram Korg, tocaram testas com Caiera e Hiroim, e serviram a todos os presentes um dedo de seu vinho cerimonial de espinheiro. E começaram os trabalhos.

– Você roubou nossa espaçonave em nosso último encontro, Holku – disse a primeira anciã. – Mas após rever as evidências, o conselho concorda que você fez excelente uso dela. Os tratados do imperador morreram com ele. Então viemos estabelecer um Tratado das Sombras com você. Os termos são simples. Você garante nossas terras e nossos direitos de sempre. Nós sugerimos apoio mútuo em caso de invasão doméstica. E lhe fornecemos uma guarda-costas do nosso povo. Caiera, a Fortaleza, era o braço direito do imperador... se você concordar, ela pode...

– Não – disse Hulk. – Nada de guarda-costas.

Hulk olhou para Caiera.

– Eu quero uma rainha.

Caiera levou um susto e correu se levantar, com as mãos na mesa de pedra, sem tirar os olhos de algum ponto indeterminado, um pouco abaixo da linha do horizonte. A pele dela virou pedra e retornou em seguida ao estado natural.

– Se ela me aceitar – murmurou Hulk.

– Holku...

Ela olhou para ele. Ele estendeu a mão. Ela a tomou, e os dois saíram juntos do salão.

Korg olhou para Hiroim e os anciões com um brilho em seus olhos cor de âmbar.

– Acredito que teremos um tratado.

18

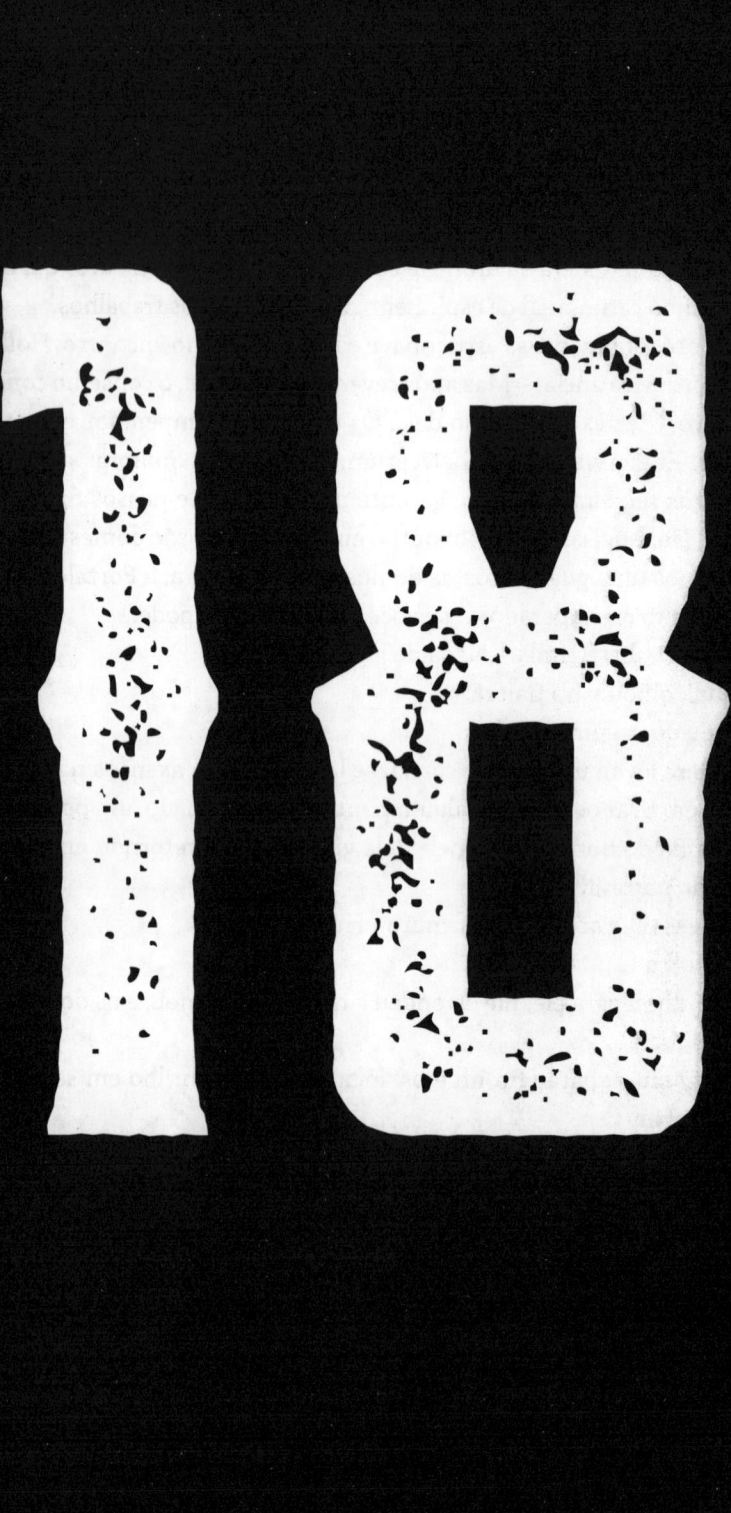

A MAIS ANTIGA GOVERNANTA REAL tinha um tornozelo ruim. Então ela disse aos servos mais jovens que estava dolorida demais para fugir quando eles viram o corpo estilhaçado do Rei Vermelho voar para fora das muralhas da cidade. Mas assim que os outros se foram, ela abriu calmamente a despensa particular de bebidas do imperador e bebeu uma garrafa inteira de vinho branco de Chaleen, acomodada na cadeira dele. Depois percorreu o palácio todo e destruiu cada busto ou entalhe que encontrou do rosto esnobe dele. Pelas contas dela, como ela contou depois a todo mundo por muitas estações, com grande satisfação, foram 352.

Sempre odiara o Rei Vermelho. Era um moleque impulsivo que matava os inimigos onde quer que quisesse, mesmo em cima dos tapetes de pele de trizela branca da sala de música. Os jovens mais novos aceitavam a situação como o jeito que girava o mundo. Mas a mais antiga governanta real servira a Angmo, o Grande, um divertido tirano de bom coração que dava o dia de folga para os criados e os escravos no dia do aniversário dele. Angmo só matava gente na sala de tortura, de azulejos laminados e ralo.

Quando Korg perguntou discretamente à governanta mais antiga se havia aposentos adequados para os novos rei e rainha, ela levou Caiera para o quarto principal. Porém a Fortaleza nem chegou a entrar no quarto. Apenas torceu o nariz para o cheiro rançoso de suor e perfume que emanava dos lençóis de seda e desceu a escadaria da torre. A governanta foi mancando atrás da guerreira, sugerindo outros quartos ao longo do caminho, todos com vistas adoráveis. Porém a sombra pareceu ficar confortável apenas quando pôs os pés no térreo. No fim das contas, ela desceu para o porão e achou um fresco depósito de grãos construído na rocha. Caiera pôs a mão no piso de pedra lisa e sorriu.

– Chame o meu marido – disse ela à governanta.

• • • •

Quando Hulk entrou no cômodo, Caiera estava ajoelhada no chão, perante um pequeno suporte de pedra no qual havia um orbe cristalino que brilhava com uma singela chama azul. Ela se virou e olhou para ele.

– Pode ajoelhar-se ao meu lado, como ajoelho ao seu?

Hulk ficou olhando para ela. Ajoelhara na Grande Arena, todo ferido, perante o Rei Vermelho. Ajoelhara-se aos pés de Primus Vand quando o fulgor do disco de obediência incendiou seu cérebro.

Porém, nessa noite, pela primeira vez de que podia lembrar-se, Hulk ajoelhou por vontade própria.

Caiera pôs a mão em cima das chamas azuis que se erguiam do orbe.

– Pode queimar-se comigo, como me queimo com você?

A dor percorreu o braço dele quando Hulk estendeu a mão. Mas ele olhou bem nos olhos dela, segurando-lhe a mão sobre o fogo que chamuscava ambos. O calor das chamas ficou insuportável, queimando até os ossos. Mesmo assim, ele não cedeu. E então a dor sumiu, e o fogo bruxuleou frio contra a pele intacta dos dois.

– E pode mostrar seu verdadeiro rosto e sua alma para mim, como mostro os meus para você?

Caiera o encarava, sondando e investigando. Não havia julgamento nem desconfiança naqueles olhos verdes e negros. Mas ele soube que ela percebia que ele escondia algo. Hulk lutou contra a vontade de grunhir e desviar o rosto. Mas não podia mentir para ela, não nesse momento. Então ele ficou só olhando, com um olhar cheio de dúvida.

– Holku, eu preciso saber. *Tudo* de você. Mostre-me.

Hulk respirou fundo e fechou os olhos. Em sua mente, olhou para dentro de si, procurando por aquilo que se escondia no escuro – a vozinha aterrorizante e aterrorizada que sempre gritava *não não não não não...*

Mas tudo que ouviu foi silêncio.

E então viu aquilo ajoelhado quieto no escuro. Ele se virou e olhou para ele. E seus olhos não demonstravam medo nem raiva. Ele apenas sorriu.

Sim.

– Certo – disse Hulk.

Ele apertou bem a mão de Caiera e respirou fundo. E seu corpo ficou esquisito e acinzentado, depois bronzeado, e pareceu derreter, desaparecendo em camadas como se feitas de vapor, até que ele apareceu ali, sentado junto dela, fraco e magro como um fantasma.

– Quem...

– Eu sou... Bruce – disse o fantasma. – Você pediu. Então Hulk me libertou. Queria que você o visse. Que visse *tudo* dele. Tudo de... *nós*.

Ele hesitou, mas olhou diretamente nos olhos dela, subitamente em paz.

– Tudo de *mim*.

Caiera prendeu a respiração, aterrorizada por ter nas mãos os dedos frágeis e magros daquela criatura. Olhou dentro dos estranhos olhos castanhos dele e não viu nada que reconhecia, e seu coração doeu, desesperado. Mas então fechou os olhos, estendeu sua consciência com o Poder Antigo, como fizera tantas vezes antes, e escutou. Através da pedra, ouviu o coração dele. Tão mais calmo, tão mais fraco. Mas batia firme e sincero como nunca. Ela abriu os olhos e mirou os dele, e viu que o fantasma era um homem, o *seu* homem, para todo o sempre. Ela se aproximou para beijá-lo, e o vapor espiralou, e o coração dele explodiu quando ele a envolveu com seus enormes braços verdes.

Ele é Hulk... que se tornou Holku.
O Cicatriz Verde... que se tornou o Rei Verde.
O monstro... que se tornou um herói.
Ele só queria ficar sozinho.
Agora, lidera uma nação.
E todas as vozes chamam seu nome.

Caiera acordou com uma brisa fresca nos cabelos. Mas sentiu os braços do marido em torno de si, cálidos e fortes. Quando abriu os olhos, viu as nuvens e os graciosos ameboides flutuando acima. Hulk sorriu para ela. Os dois voavam pelo céu. Ele a abraçou mais apertado quando começaram a descer para um morro, e flexionou as pernas para absorver o impacto, para que ela quase não sentisse. Ele a pôs no chão, passou o braço na cintura dele, e juntos eles contemplaram as Estepes de um matiz azul-escuro e púrpura sob o luar.

– O que viemos fazer aqui, meu marido?

Ele acenou para as Estepes.

— Certa vez, você me disse que esse é um lugar de paz. Que, se eu fosse para lá, nunca mais teria que lutar.

— Do que está falando, Holku?

— Talvez... talvez devêssemos simplesmente ir.

Ela o tocou no queixo e virou o rosto dele para si. Beijou-lhe os lábios. Juntou a testa na dele. Sentiu o bater daquele coração reverberar por todo o seu corpo.

— Odeio reis — disse ele. — Essa história toda é uma bobagem.

— Você não tem que ter medo de si mesmo, meu marido. Nunca mais.

— Você não entendeu. Eles me chamam de Filho de Sakaar. De *salvador*. Mas eu sei o que sou.

— O Quebra-Mundos? O destruidor de tudo? — Caiera ergueu a mão para o brilho no horizonte que o sol nascente irradiava. — Veja só as Estepes, Holku. Nós lutamos perto dessas terras, lembra? Você *sangrou* aqui. E agora...

O sol desprendeu-se do horizonte, e uma luz dourada banhou todo o vale. As planícies nas quais Hulk se enraivecera e sangrara agora eram uma floresta densa de vinhas de eleha'al, tão crescidas quanto árvores. Trizelas pastavam num gramado rico e verdejante em torno das bordas da floresta. Trabalhadores imperiais e coletores nativos, trabalhando lado a lado, zanzavam por entre a folhagem, colhendo cabaças amarelas frescas.

— Você não quer fugir — disse Caiera. — Não quer ficar sozinho. Porque este é o seu lar. Hoje, você é o Rei Verde. Amanhã, quem sabe? Mas este é o seu lugar. Com o seu povo. Sua esposa. E todos os nossos filhos e os filhos de nossos filhos, até o dia em que morrermos e a terra nos receber, e nos entregarmos para a rocha, para nos erguermos de novo sobre as planícies e nos dissolvermos para areia e surgir de novo, juntos, até o fim dos tempos.

Hulk não entendia. Mas entendeu. E beijou a esposa. Uma criança que perseguia um bichinho no gramado parou para olhar e ficou sorrindo até que a mãe, embaraçada, cobriu os olhos dele e o levou dali.

19

NO SÉTIMO DIA APÓS HULK ter deixado os Espetos pais se alimentarem dele, o segundo e o terceiro assistentes do finado e querido ministro das Ciências finalmente consertaram o sistema de lançamento da maior espaçonave dos Espetos. Os pais flutuaram por sobre o mar de esporos e voaram para dentro da nave, e seus filhos os seguiram.

Miek e Sem-Nome pairaram juntos perto da escotilha da nave, trocando odores com os Espetos pais, e repassaram os agradecimentos e bênçãos destes para o Rei Verde e seu povo. Hiroim rezou pelas almas de todos os que foram mortos nas duas Guerras dos Espetos, e milhares de cidadãos reunidos choraram por seus entes queridos que se foram. Elloe e a mãe assistiram juntas à cerimônia, cada um com os próprios pensamentos conflitantes. Ainda não conseguiam olhar-se diretamente nos olhos, mas ficaram perto o bastante para que o quinto prefeito, quando as avistou, do outro lado do campo, teve a impressão de que as duas deviam ser parentes.

O Cicatriz Verde e Caiera subiram num disco flutuante e ascenderam junto da espaçonave dos Espetos lançada para o ar. Ficaram perto dela até que os jatos secundários dispararam, e a nave disparou, atravessando a estratosfera rumo a um novo lar em meio às estrelas.

Hulk e Caiera ficaram flutuando por entre as nuvens, contemplando o panorama – de mãos dadas, lado a lado no corrimão do disco flutuante. Seu trabalho jazia adiante, entalhado na terra. Lá estava Fillia, mais ao norte, ainda um local perigoso. Os robôs selvagens ainda perambulavam pelas planícies de Chaleen. E, em algum lugar do planeta, em alguma caverna ou vale esquecido, uma rainha dos nativos certamente aguardava.

Caiera apontou alguma coisa. O Grande Portal girava no céu, na linha do horizonte, acima do campo de detritos, pulsando com uma estranha energia nova. Ela sentiu a atração como a de um ímã, e o disco flutuante deu uma escorregada em meio às nuvens, tombando de lado, cada vez mais atraído para o vórtice giratório.

Hulk olhava para o Grande Portal com uma expressão esquisita. Caiera sentiu o coração dele acelerar e ouviu o rangido do metal retorcido pelos dedos dele, contraídos em torno do corrimão do disco flutuante.

– O que foi, meu marido? – perguntou.

Hulk olhou para a esposa. Ela enxergou nele a mesma raiva feroz, justa e sincera, e seu coração se encheu de amor por ele e de fúria por quem quer que o tivesse feito mal.

Ele ouviu o coração dela batendo firme e eterno, pronto para enfrentar qualquer coisa. Ocorreu-lhe que ele poderia ter tudo. Poderia abraçar toda aquela raiva e a vingança e o sangue. Poderia descer na Terra como um rei conquistador, com sua vingativa esposa ao lado, e chocar Amadeus e todos os humanos fracotes com uma ira justa superior a tudo que eles já puderam imaginar.

Ou...

Hulk olhou bem nos olhos de Caiera.

E suspirou devagarinho.

E sorriu.

O Grande Portal estremeceu e sumiu, e sua estranha atração cessou. Uma brisa fresca soprou no ar, e Hulk e Caiera aninharam-se, ombro com ombro, partilhando do calor um do outro, e flutuaram por entre as nuvens rosadas de volta para o seu povo.

EU PODERIA CONTAR MAIS.
PORÉM, TODO PROFETA SABE
QUE SE VOCÊ TECER UMA
HISTÓRIA POR DEMAIS
TUDO SE DESFAZ
E SE REÚNE E SE DESFAZ
PARA ENTÃO RECOMEÇAR.
ENTÃO HOJE SEU PAI TOCOU A MINHA MÃO
E EU TOQUEI O CORAÇÃO DELE
E A HISTÓRIA TERMINA AQUI.

PORQUE ESTA É A HISTÓRIA
DO CICATRIZ VERDE
O OLHO DA FÚRIA
O QUEBRA-MUNDOS

HULK

E DE COMO ELE FINALMENTE FOI PARA CASA

Greg Pak é diretor de cinema e roteirista. Começou a escrever histórias em quadrinhos para a Marvel depois de seu primeiro longa-metragem, a antologia de ficção científica *Robot Stories*, que venceu 35 prêmios e chegou a ser exibido nos cinemas nos Estados Unidos. Depois de escrever um *reboot* de *Warlock*, Greg participou da série *X-Men: Phoenix-Endsong* e passou um bom tempo desenvolvendo material do Incrível Hulk, com destaque para *Planeta Hulk* e o crossover *Hulk contra o mundo*. Além do aclamado *Magneto: Testamento*, *Caveira Vermelha: Encarnado* e dos livros *X-Treme X-Men* e *Tempestade*, da Marvel, Greg também colaborou com nomes como Kingsway West, da Dark Horse, e Mech Cadet Yu, da BOOM! Mais recentemente, Greg Pak apresentou Amadeus Cho como o novo Golias Verde em *Totally Awesome Hulk*.

FONTE: Chaparral Pro

#NovoSéculo nas redes sociais

novo século
www.gruponovoseculo.com.br